D1632990

SYLFAENOL

MEISTROLI MATHEMATEG

AR GYFER CBAC TGAU

Ymarfer • Atgyfnerthu • Gwneud cynnydd

Ymgynghorydd Asesu a Golygydd: **Keith Pledger**

Keith Pledger, Gareth Cole, Joe Petran a Linda Mason

Golygydd y Gyfres: Roger Porkess

AN HACHETTE UK COMPANY

Llyfr Ymarfer Meistroli Mathemateg ar gyfer TGAU CBAC: Sylfaenol
Addasiad Cymraeg o *Mastering Mathematics for WJEC GCSE Practice Book: Foundation* a gyhoeddwyd yn 2016 gan Hodder Education

Cyhoeddwyd dan nawdd Cynllun Adnoddau Addysgu a Dysgu CBAC

Mae'r deunydd hwn wedi'i gymeradwyo gan CBAC ac mae'n cynnig cefnogaeth ar gyfer cymwysterau CBAC. Er bod y deunydd wedi bod trwy broses sicrhau ansawdd CBAC, mae'r cyhoeddwr yn dal yn llwyr gyfrifol am y cynnwys.

Cydnabyddiaeth ffotograffau

t.111 © zuzule – Fotolia; **t.112** b © Syda Productions – Fotolia; **t.112** g © Stanislav Halcin – Fotolia.

Ymdrechwyd i sicrhau bod cyfeiriadau gwefannau yn gywir adeg mynd i'r wasg, ond ni ellir dal Hodder Education yn gyfrifol am gynnwys unrhyw wefan a grybwyllir yn y llyfr hwn. Mae weithiau yn bosibl dod o hyd i dudalen we a adleolwyd trwy deipio cyfeiriad tudalen gartref gwefan yn ffenestr LlAU (*URL*) eich porwr.

Archebion: cysylltwch â Bookpoint Ltd, 130 Milton Park, Abingdon, Oxon OX14 4SB.
Ffôn: +44 (0)1235 827720. Ffacs: +44 (0)1235 400454. Mae'r llinellau ar agor 9.00a.m.–5.00p.m., dydd Llun i ddydd Sadwrn, ac mae gwasanaeth ateb negeseuon 24-awr. Ewch i'n gwefan www.hoddereducation.co.uk

Cyhoeddwyd gyntaf yn 2016 gan
Hodder Education,
An Hachette UK Company,
Carmelite House
50 Victoria Embankment
London EC4Y 0DZ

Rhif yr argraffiad 5 4 3 2 1

Blwyddyn 2021 2020 2019 2018 2017

Llun y clawr © Sashkin - Fotolia

Darluniau gan Integra

Cysodwyd yn India gan Integra Software Services Pvt. Ltd., Pondicherry

Argraffwyd yn y DU gan CPI Group (UK) Ltd, Chippenham SN14 6LH

Mae cofnod catalog ar gyfer y teitl hwn ar gael gan y Llyfrgell Brydeinig.

ISBN 9781510415577

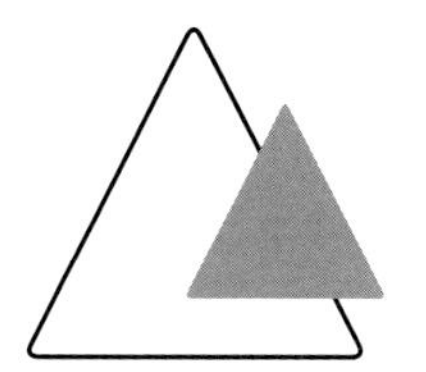

Cynnwys

■ Mae unedau â'r symbol hwn yn ofynnol ar gyfer TGAU Mathemateg yn unig.

ALGEBRA

Llinyn 1 Dechrau algebra

Llinyn 2 Dilyniannau

Llinyn 3 Ffwythiannau a graffiau

GEOMETREG A MESURAU

Llinyn 1 Unedau a graddfeydd

Llinyn 2 Priodweddau siapiau

Llinyn 3 Mesur siapiau

Llinyn 4 Llunio

Llinyn 5 Trawsffurfiadau

Llinyn 6 Siapiau tri dimensiwn

YSTADEGAETH A THEBYGOLRWYDD

Llinyn 1 Mesurau ystadegol

Llinyn 2 Diagramau ystadegol

Llinyn 3 Casglu data

Llinyn 4 Tebygolrwydd

Sut i gael y gorau o'r llyfr hwn

Cyflwyniad

Mae'r llyfr hwn yn rhan o'r gyfres Meistroli Mathemateg ar gyfer TGAU CBAC ac mae'n cefnogi'r gwerslyfr drwy gynnig llawer o gwestiynau ymarfer ychwanegol ar gyfer haen Sylfaenol Mathemateg a Mathemateg – Rhifedd.

Mae'r Llyfr Ymarfer hwn wedi'i strwythuro i gyd-fynd â'r Llyfr Myfyriwr Sylfaenol ac mae wedi'i drefnu yn yr un modd yn ôl meysydd allweddol y fanyleb: Rhif, Algebra, Geometreg a Mesurau ac Ystadegaeth a Thebygolrwydd. Mae pob pennod yn y llyfr hwn yn mynd gyda'i phennod gyfatebol yn y gwerslyfr, gyda'r un teitlau er mwyn gwneud y llyfr yn hawdd ei ddefnyddio.

Sylwch: mae'r unedau 'Symud Ymlaen' yn y Llyfr Myfyriwr yn ymdrin â gwybodaeth flaenorol yn unig, ac felly does dim penodau cyfatebol yn y Llyfr Ymarfer hwn. Am y rheswm hwn, er bod trefn y Llyfr Ymarfer yn dilyn y Llyfr Myfyriwr, mae rhai rhifau Llinynnau/Unedau heb eu cynnwys, neu efallai nad ydy'r drefn yn dechrau ag '1'.

Symud drwy bob pennod

Mae'r penodau'n cynnwys amrywiaeth o gwestiynau sy'n mynd yn fwy anodd wrth i chi symud drwy'r ymarferion. Mae tair lefel o anhawster ar draws y Llyfrau Myfyriwr a'r Llyfrau Ymarfer yn y gyfres hon. Maen nhw wedi'u dynodi gan smotiau wedi'u tywyllu ar ochr dde pob tudalen.

Anhawster isel ●○○

Anhawster canolig ●●○

Anhawster uchel ●●●

Efallai byddwch chi eisiau dechrau ar ddechrau pob pennod a gweithio drwy bob un er mwyn gallu gweld eich cynnydd.

Mathau o gwestiynau

Hefyd mae pob pennod yn cynnwys amrywiaeth o fathau o gwestiynau, sy'n cael eu dynodi gan y cod i'r chwith o'r cwestiwn neu'r is-gwestiwn lle maen nhw i'w gweld. Enghreifftiau yw'r rhain o'r mathau o gwestiwn y bydd angen i chi eu hymarfer ar gyfer yr arholiad TGAU Mathemateg Sylfaenol.

YS Ymarfer sgiliau

Mae'r cwestiynau hyn yn ymwneud ag adeiladu a meistroli'r technegau hanfodol sydd eu hangen arnoch i lwyddo.

DH Datblygu hyder

Mae'r rhain yn rhoi cyfle i chi ymarfer defnyddio sgiliau ar gyfer amrywiaeth o ddibenion a chyd-destunau, gan gynyddu eich hyder i ymdrin ag unrhyw fath o gwestiwn.

DP Datrys problemau

Mae'r rhain yn rhoi cyfle i chi ymarfer defnyddio sgiliau datrys problemau er mwyn ymdrin â phroblemau mwy anodd yn y byd go iawn, mewn pynciau eraill ac o fewn Mathemateg ei hun. Wrth ymyl unrhyw gwestiwn, gan gynnwys y mathau uchod o gwestiynau, efallai y gwelwch chi'r cod isod hefyd. Mae hyn yn golygu ei fod yn gwestiwn 'dull arholiad'.

DA Dull arholiad

Mae'r cwestiwn hwn yn adlewyrchu iaith, arddull a geiriad cwestiwn y gallech chi ei weld yn eich arholiad TGAU Mathemateg neu TGAU Mathemateg – Rhifedd Sylfaenol.

Atebion

Gallwch gael ateb i bob cwestiwn sydd yn y llyfr ar ein gwefan.

Ewch i: www.hoddereducation.co.uk/MeistrolimathemategCBAC

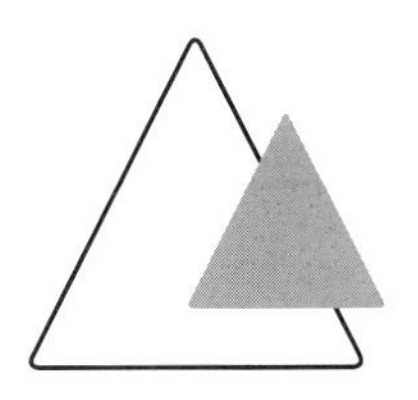

Rhif Llinyn 1 Cyfrifo Uned 6 Lluosi a rhannu rhifau negatif

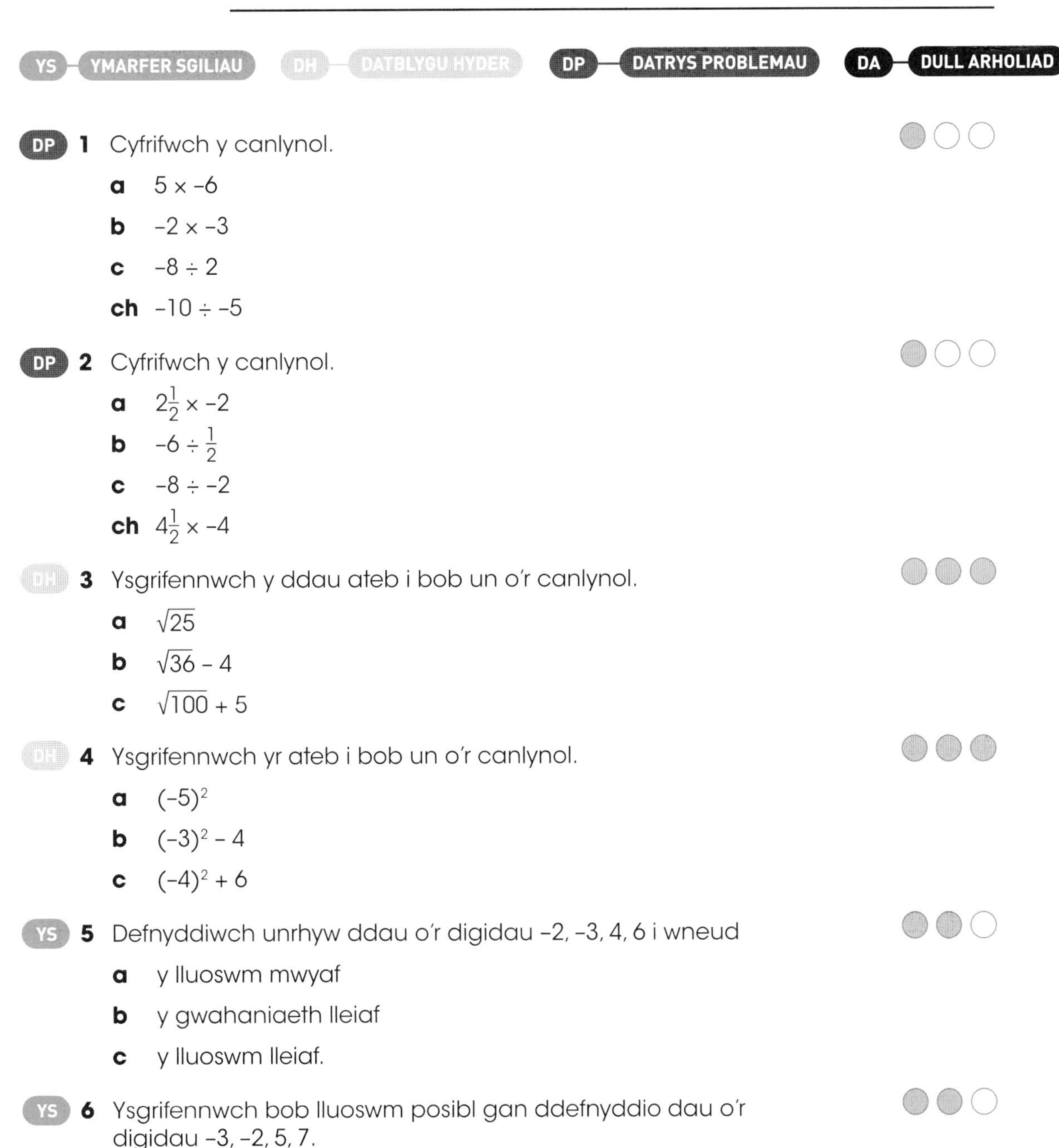

YS – YMARFER SGILIAU DH – DATBLYGU HYDER DP – DATRYS PROBLEMAU DA – DULL ARHOLIAD

DP **1** Cyfrifwch y canlynol.

a 5×-6

b -2×-3

c $-8 \div 2$

ch $-10 \div -5$

DP **2** Cyfrifwch y canlynol.

a $2\frac{1}{2} \times -2$

b $-6 \div \frac{1}{2}$

c $-8 \div -2$

ch $4\frac{1}{2} \times -4$

DH **3** Ysgrifennwch y ddau ateb i bob un o'r canlynol.

a $\sqrt{25}$

b $\sqrt{36} - 4$

c $\sqrt{100} + 5$

DH **4** Ysgrifennwch yr ateb i bob un o'r canlynol.

a $(-5)^2$

b $(-3)^2 - 4$

c $(-4)^2 + 6$

YS **5** Defnyddiwch unrhyw ddau o'r digidau −2, −3, 4, 6 i wneud

a y lluoswm mwyaf

b y gwahaniaeth lleiaf

c y lluoswm lleiaf.

YS **6** Ysgrifennwch bob lluoswm posibl gan ddefnyddio dau o'r digidau −3, −2, 5, 7.

DA **7** Y tymheredd ganol dydd oedd −4°C. Erbyn 9 p.m. roedd y tymheredd wedi gostwng i −9°C. Sawl gradd Celsius (°C) y gostyngodd y tymheredd?

DA **8** Y tymheredd yn Terreagle am hanner dydd oedd:

−6°C ddydd Llun

−3°C ddydd Mawrth

3°C ddydd Mercher.

Beth oedd y tymheredd cymedrig am hanner dydd ar gyfer y tri diwrnod hyn?

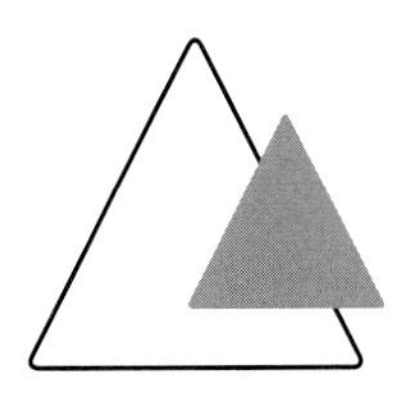

Rhif Llinyn 1 Cyfrifo Uned 7 CORLAT

YS – YMARFER SGILIAU DH – DATBLYGU HYDER DP – DATRYS PROBLEMAU DA – DULL ARHOLIAD

YS **1** Cyfrifwch y canlynol.

a $(8 + 6) \times 3$

b $8 + 6 \times 3$

c $8 + (6 \times 3)$

ch $(18 - 6) \div 3$

d $18 - 6 \div 3$

dd $18 \div (6 - 3)$

YS **2** Cyfrifwch y canlynol.

a $17 - 9 \div 3$

b $(18 - 9) \div 3$

c $17 - (9 \div 3)$

ch $18 \div 9 - 3$

d $18 + 9 \div 3$

dd $18 - (9 \div 3)$

DH **3** Darganfyddwch werth $p^2 + (q + r)^2$ pan mae

a $p = 2, q = 3, r = 4$

b $p = 3, q = 5, r = 7$

c $p = 10, q = 2, r = 3$

ch $p = 5, q = 2, r = 3$

d $p = 4, q = 5, r = 6$

dd $p = 10, q = 7, r = 3$

YS **4** Cyfrifwch y canlynol.

a $5 \times (2 + 8 \times 3^2)$

b $(5 \times 2) + (8 \times 3^2)$

c $5 \times (2 + 8) \times 3^2$

ch $5 \times (8 \div 2 \times 3^2)$

d $(8 \times 2) + (18 \div 3^2)$

dd $5 \times (8 \div 2) \times 3^2$

DP **5** Mae Penny yn cymryd tacsi sy'n codi £2, plws £1 am bob milltir mae'n ei theithio. Mae'r gyrrwr yn codi £15 am daith 5 milltir. Mae Penny yn dweud bod hyn yn anghywir. Ydy hi'n iawn? Eglurwch eich ateb.

DH **6** Ychwanegwch gromfachau ( ) i wneud pob gosodiad yn gywir.

a $8 \times 7 + 6 \div 2 = 59$

b $8 \times 7 + 6 \div 2 = 52$

c $8 \times 7 + 6 \div 2 = 80$

ch $6 \times 7 + 8 \div 2^2 = 44$

d $2^3 \times 2 + 10 \div 2 = 48$

dd $3^2 \times 3 + 18 \div 3^2 = 29$

DP **7** Mae warws Talu a Chludo yn gwerthu blychau o roliau papur cegin.
Mae rholiau papur cegin yn costio £10 yr un am yr 12 blwch cyntaf,
£7 yr un am yr 15 blwch nesaf,
a £5 am y 20 blwch nesaf.
Mae Barry eisiau prynu 36 blwch.
Faint bydd e'n ei dalu?

DH **8** Rhowch y symbolau cywir i mewn isod i wneud y canlynol yn gywir.

a 3 3 3 3 = 36

b 3 3 3 3 = 10

c 3 3 3 3 = 3

DP DA **9** Mae cwmni trydan yn codi ffi sylfaenol o £22.
Mae'r cwmni hefyd yn codi £3 yn ystod y dydd pan fydd y gwres ymlaen ac £1.50 yn ystod y nos pan fydd y gwres ymlaen.
Mae swyddfa'n cael ei gwresogi am 20 dydd a 10 nos.
Faint bydd y cwmni trydan yn ei godi?

DP **10** Rhaid i rai o'r rhifau isod gael eu hysgrifennu fel **indecsau** i wneud y symiau'n gywir. Pa rai?

a 32 + (22 ÷ 2) = 20

b (32 + 32) ÷ (4 × 22) = 4

c 102 + 23 + 33 = 150

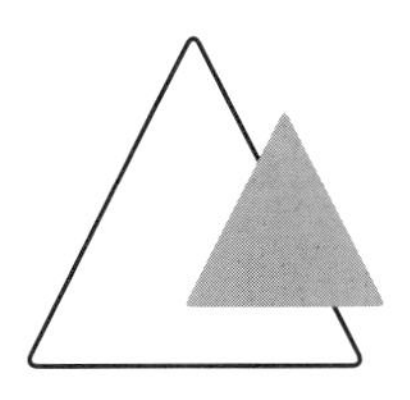

Rhif Llinyn 1 Cyfrifo
Uned 8 Lluosi degolion

YS – YMARFER SGILIAU | DH – DATBLYGU HYDER | DP – DATRYS PROBLEMAU | DA – DULL ARHOLIAD

Dylech chi ateb y cwestiynau yn yr uned hon *heb* ddefnyddio cyfrifiannell.

YS **1** Darganfyddwch y canlynol.

a 0.8×0.4

b 0.7×0.8

c 0.9×0.7

ch 32×0.04

d 66×0.66

dd 127×0.005

e $23 \times 0.6 \times 0.2$

f $0.04 \times 0.5 \times 0.6$

ff $1250 \times 0.08 \times 0.02$

YS **2** Cyfrifwch gost y canlynol.

a 8 balŵn am £1.23 yr un

b 7 tocyn am £22.75 yr un

c 25 breichled am £26.34 yr un

ch 12 pecyn o greision am £0.55 yr un

d 180 o deils to am £2.42 yr un

dd 32 planhigyn am £2.45 yr un

YS **3** Rydych chi'n gwybod bod $27 \times 59 = 1593$. Defnyddiwch hyn i ddarganfod y canlynol.

a 2.7×5.9

b 27×0.59

c 270×0.59

ch 0.27×0.59

d 2.7×0.0059

dd 0.027×0.0059

DP DA **4** Mae Aled a Dewi yn mynd i Ffrainc. Mae Aled yn cyfnewid £198 ar gyfradd gyfnewid o £1 = €1.39. Mae Dewi'n cyfnewid £212 ar gyfradd gyfnewid o £1 = €1.37.

Beth yw cyfanswm yr Ewros (€) sydd ganddyn nhw?

DH **5** Darganfyddwch y canlynol.

a $5 \times (-0.3)$

b $0.5 \times (-0.3)$

c $(-0.5) \times (-0.3)$

ch $7 \times (-2.4)$

d $(-2.7) \times (-2.3)$

dd $(-127) \times (-0.115)$

DH **6** Mae Gareth yn llenwi ei gar mewn tair gorsaf betrol wahanol yn ystod wythnos. Yn yr orsaf gyntaf mae e'n prynu 29 litr o betrol am £1.35 y litr. Yn yr ail orsaf mae e'n prynu 27.2 litr o betrol am £1.30 y litr. Yn y drydedd orsaf mae e'n prynu 31.5 litr o betrol am £1.32 y litr.

Beth yw'r cyfanswm mae e'n ei dalu?

DP DA **7** Mae defnyddio campfa yn costio £4.45 yr awr neu £69.50 am aelodaeth fisol. Mae Nicola'n disgwyl defnyddio'r gampfa am 1.5 awr y dydd am 9 diwrnod bob mis.

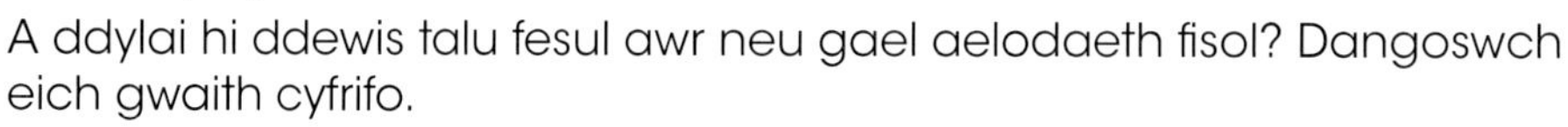

A ddylai hi ddewis talu fesul awr neu gael aelodaeth fisol? Dangoswch eich gwaith cyfrifo.

DP DA **8** Mae gwarchodfa fwncïod yn gartref i 35 mwnci. Mae pob mwnci'n costio £5.34 y dydd i'w fwydo, dros 365 o ddyddiau y flwyddyn. £5.50 yw'r tâl mynediad i'r warchodfa fwncïod. Mae 21 000 o ymwelwyr yn dod i'r warchodfa bob blwyddyn.

Ydy'r warchodfa fwncïod yn gwneud digon o arian i fwydo'r mwncïod? Gallwch ddefnyddio cyfrifiannell ar gyfer y cwestiwn hwn.

DP DA **9** Rhaid i lanhäwr ffenestri lanhau 130 o ffenestri mewn bloc tŵr. Mae pob ffenestr yn mesur 50 cm wrth 70 cm. Mae hylif glanhau yn costio £1.58 i lanhau pob 10 m^2.

Faint bydd yn ei gostio i'r glanhäwr ffenestri lanhau'r 130 o ffenestri?

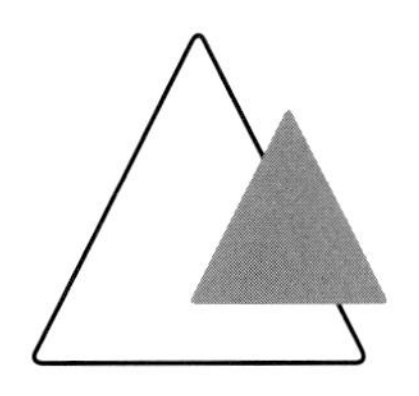

Rhif Llinyn 1 Cyfrifo
Uned 9 Rhannu degolion

DH DATBLYGU HYDER

DATRYS PROBLEMAU

DULL ARHOLIAD

a 2.18 ÷ 2

b 13.8 ÷ 3

c 21 ÷ 4

ch 38 ÷ 8

d 66 ÷ 5

dd 0.072 ÷ 6

e 23.125 ÷ 5

f 62 ÷ 8

ff 39.168 ÷ 9

YS **2** Cyfrifwch gost un eitem ym mhob un o'r canlynol.

a Mae 8 potel o laeth yn costio £6.24.

b Mae 11 tocyn theatr yn costio £313.50.

c Mae 25 DVD yn costio £246.25.

ch Mae 19 pecyn o gnau mwnci yn costio £13.68.

d Mae 180 o fylbiau golau yn costio £277.20.

dd Mae 6 car yn costio £53 970.

3 Rydych chi'n gwybod bod 35 ÷ 5 = 7. Defnyddiwch hyn i ddarganfod y canlynol.

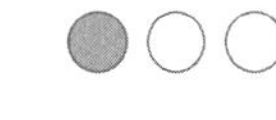

a 3.5 ÷ 5

b 3.5 ÷ 0.5

c 350 ÷ 0.5

ch 0.35 ÷ 5

d 3.5 ÷ 0.05

dd 0.035 ÷ 0.005

DH **4** Cyfrifwch y canlynol.

a $78 \div (-3)$

b $(-61) \div 5$

c $(-5.7) \div 3$

ch $2 \times 7 \div (-2.8)$

d $54 \div (-2.7) \times (-2.3)$

dd $(-12) \times (-8.1) \div 3$

DH **5** Mewn tŷ bwyta, mae pedwar person yn rhannu bil o £176.68 yn hafal. Faint mae pob person yn ei dalu?

DH **6** Mae Marc yn prynu caws sy'n costio £2.56 y cilogram. Mae e'n talu £9.60. Faint o gaws mae e'n ei brynu?

DP DA **7** Cyfrifwch y canlynol.

a Yn ystod un wythnos, enillodd Alwen £279.50 am weithio 32.5 awr. Cyfrifwch gyfradd cyflog Alwen yr awr.

b Yn yr un wythnos, enillodd Owain £315 am weithio 37.5 awr. Cyfrifwch gyfradd cyflog Owain yr awr.

DP DA **8** Yn 2014, gwnaeth 12 person logi bws am gost o £319.80. Talodd pob un gyfran hafal. Yn 2015, gwnaethon nhw logi'r un bws oedd erbyn hynny'n costio £337.20.

Faint yn ychwanegol gwnaeth pob person ei dalu yn 2015?

DP DA **9** Prynodd Llinos gar am £9000. Talodd hi flaendal o £1500 a'r gweddill mewn 24 taliad hafal.

Faint oedd pob ad-daliad?

DP DA **10** Mae Kayleigh yn cyfnewid arian mewn banc ar gyfer ei gwyliau ac mae hi'n cael €310.08 am £228. Mae Peter yn cyfnewid arian mewn swyddfa bost ac mae e'n cael €369.84 am £268.

Pwy sy'n cael y fargen orau?

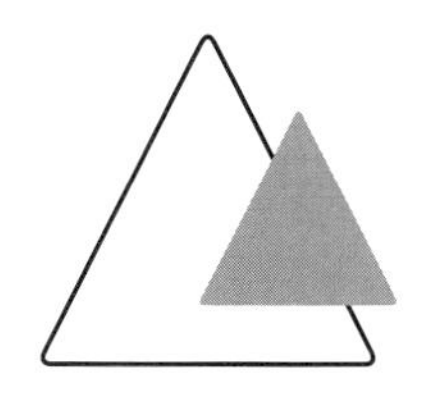

Rhif Llinyn 2 Defnyddio ein system rifau Uned 5 Defnyddio'r system rifau yn effeithiol

DH DATBLYGU HYDER

YS **1** Cyfrifwch y canlynol.

a 8400×1000

b 8400×100

c 8400×10

ch 8400×0.1

d 8400×0.01

dd 8400×0.001

e 4978×1000

f 4978×100

ff 4978×10

g 4978×0.1

ng 4978×0.01

h 4978×0.001

YS **2** Cyfrifwch y canlynol.

a 60×0.1

b 340×0.1

c 5400×0.01

ch 2230×0.01

d 690×0.001

dd 223×0.001

YS **3** Cyfrifwch y canlynol.

a 2.1×0.1

b 6.25×0.1

c 13.7×0.01

ch 245.6×0.01

d 0.3×0.001

dd 4.57×0.001

YS **4** Cyfrifwch y canlynol.

a $2.1 \div 0.1$

b $6.25 \div 0.1$

c $13.7 \div 0.01$

ch $245.6 \div 0.01$

d $0.3 \div 0.001$

dd $4.57 \div 0.001$

DH **5** Ysgrifennwch yr atebion i'r cyfrifiadau hyn yn nhrefn maint, gan ddechrau gyda'r lleiaf.

a 4.8×0.1

b $3.56 \div 0.1$

c 29.8×0.01

ch $75.5 \div 0.01$

d 19.9×0.001

dd $0.72 \div 0.001$

DH **6** Darganfyddwch y rhifau coll.

a $250 \times \square = 25$

b $250 \div \square = 25$

c $1.98 \times \square = 1980$

ch $1.98 \div \square = 1980$

d $654 \times \square = 6.54$

dd $654 \div \square = 6.54$

DP **7** Mae gêm o 'snap' mathemategol yn defnyddio cardiau fel sydd i'w gweld isod. Defnyddiwch saethau i ddangos pa ddau gerdyn sy'n hafal.

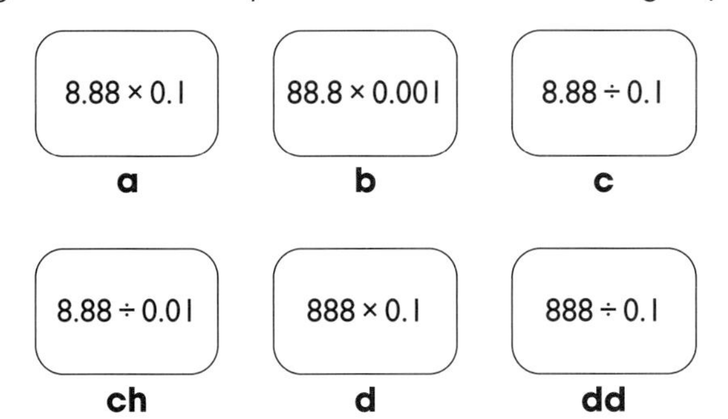

DP **8** Mae'r arwyddbost yn Mathsland yn cynnig pedwar llwybr i chi gyrraedd eich cyrchfan. Pa un yw'r byrraf?

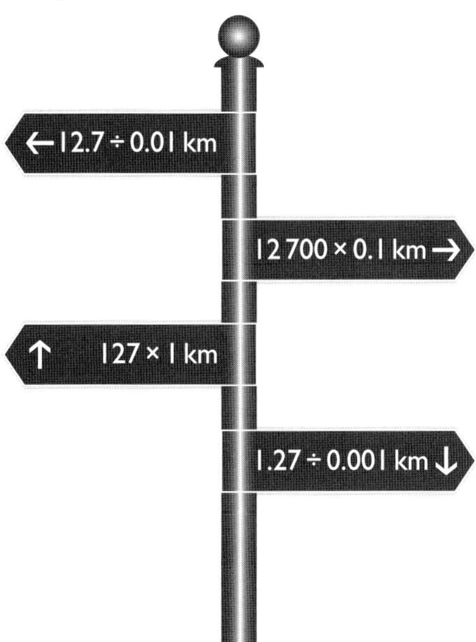

DP **9** Dyma rai cyfrifiadau sy'n cynnwys rhifau.

2.56 × 100	2.56 ÷ 100	2.56 × 0.1
2.56 ÷ 0.001	2.56 × 0.001	2.56 ÷ 0.1

Trefnwch nhw yn nhrefn maint o'r mwyaf i'r lleiaf.

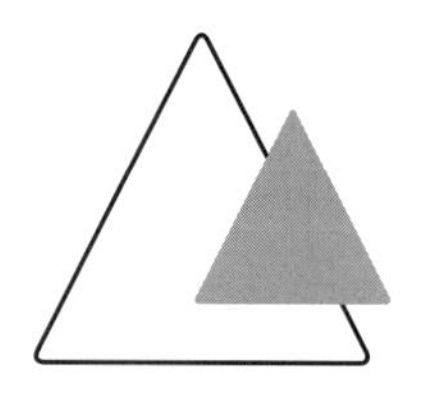

Rhif Llinyn 2 Defnyddio ein system rifau Uned 6 Deall y ffurf safonol

YS – YMARFER SGILIAU DH – DATBLYGU HYDER DP – DATRYS PROBLEMAU DA – DULL ARHOLIAD

YS **1** Ysgrifennwch y rhifau canlynol yn y ffurf safonol.

a 847

b 84 700

c 0.000 847

ch 0.000 000 847

YS **2** Ysgrifennwch y rhifau canlynol yn y ffurf safonol.

a 620

b 820 000

c 20 miliwn

ch 1 miliynfed

YS **3** Ysgrifennwch y canlynol fel rhifau cyffredin.

a 8.52×10^2

b 3.4×10^{-3}

c 2.02×10^5

ch 5.762×10^8

d 4.55×10^{-7}

YS **4** Ysgrifennwch y rhifau canlynol yn y ffurf safonol.

a 0.003 45

b 0.000 005 48

c 0.000 765 4

ch 0.000 000 234 5

DH **5** Ysgrifennwch y rhifau canlynol yn y ffurf safonol.

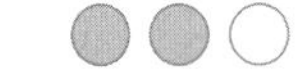

a Wyth mil

b Pedair rhan o bump

c Chwe rhan o gant

DH **6** Ysgrifennwch y meintiau canlynol yn y ffurf safonol.

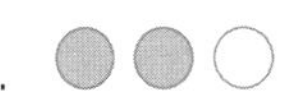

a Y pellter rhwng y Ddaear a'r Haul yw 93 miliwn o filltiroedd.

b Arwynebedd croen un person yw tua 15 000 cm^2.

c Y pellter o'r cyhydedd i Begwn y Gogledd yw 20 000 km.

ch Mae tua 400 miliwn o sêr yn y Llwybr Llaethog.

d Arwynebedd y DU yw 243 610 km^2.

DH **7** Ysgrifennwch y rhifau canlynol mewn trefn, gan ddechrau gyda'r lleiaf.

a 4.2×10^{-3}

b 7.21×10^{-2}

c 0.09

ch 8.2×10^{-3}

d 5.7×10^{2}

dd 3.6×10^{3}

e 6.2×10^{2}

f 0.57

DP **8** Mae'r tabl yn dangos y pellter o'r Haul i sêr cyfagos.
Mae seryddwr yn ymchwilio i'r sêr ac mae angen iddo wneud yn siŵr bod ei restr yn y drefn gywir, gan ddechrau gyda'r sêr sydd agosaf at yr Haul. Dangoswch y rhestr mae angen iddo ei hysgrifennu.

Seren	Pellter o'r Haul (mewn km)
Procyon B	1.08×10^{14}
Seren Barnard	5.67×10^{13}
Proxima Centauri	3.97×10^{13}
Sirius A	8.136×10^{13}
Ross 128	1.031×10^{14}
Wolf 359	7.285×10^{13}
Rigil Kentaurus	4.07×10^{13}
Luyten 726	7.95×10^{13}

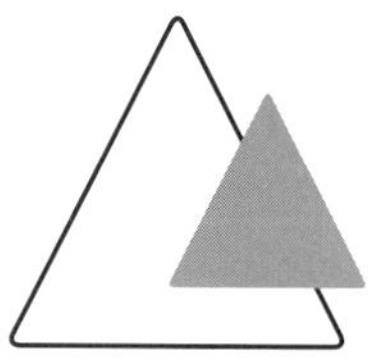

Rhif Llinyn 3 Manwl gywirdeb
Uned 4 Talgrynnu i 2 le degol

YS YMARFER SGILIAU DH DATBLYGU HYDER DP DATRYS PROBLEMAU DA DULL ARHOLIAD

Dylech chi ateb y cwestiynau yn yr uned hon *heb* ddefnyddio cyfrifiannell, oni bydd yn cael ei nodi fel arall.

YS **1** Talgrynnwch bob un o'r rhifau canlynol i ddau le degol.

a 2.756

b 12.462

c 0.064

ch 0.896

d 1.997

dd 65.507

e 0.005

f 9.995

ff 12.352

g 10.002

DP **2** Mae Ben yn prynu pecyn o saith beiro unfath am £1.99.
Cyfrifwch gost un beiro. Rhowch eich ateb i'r geiniog agosaf.

DP **3** Gallwch chi ddefnyddio cyfrifiannell ar gyfer y cwestiwn hwn.
Mae Sylvia yn prynu 35.6 litr o betrol am 123.9 ceiniog y litr.
Cyfrifwch gyfanswm cost y petrol brynodd Sylvia.
Rhowch eich ateb mewn punnoedd i'r geiniog agosaf.

DH **4** Cyfrifwch y rhif sydd hanner ffordd rhwng

a 2.5 a 5.2

b 0.23 a 0.24

c 3.5 a 3.65

ch 2.05 a 2.049

d 3.2 a 2.3

dd 6.25 a 6.255

e 10 a 10.001

f 7.98 a 8.003

DH DA **5** Dyma betryal.

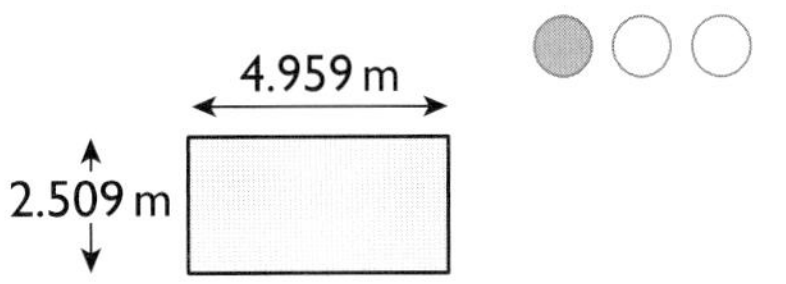

a Cyfrifwch berimedr y petryal. Rhowch eich ateb i'r centimetr agosaf.

b Cyfrifwch arwynebedd y petryal. Rhowch eich ateb, mewn metrau sgwâr, yn gywir i un lle degol.

6 Dyma hecsagon rheolaidd. Hyd un ochr yw 25.64 cm.

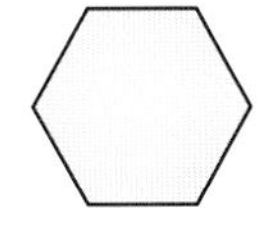

a Cyfrifwch berimedr yr hecsagon. Rhowch eich ateb yn gywir i un lle degol.

b Darganfyddwch y gwahaniaeth rhwng yr ateb os gwnewch chi dalgrynnu hyd pob ochr i un lle degol cyn cyfrifo'r perimedr, a'ch ateb ar gyfer rhan **a**.

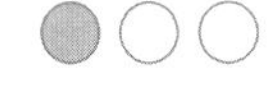

7 Aeth Gwyn i bysgota a dal 6 pysgodyn. Dyma bwysau'r pysgod a ddaliodd.

1.675 kg	2.420 kg	0.659 kg
2.093 kg	1.286 kg	3.450 kg

Darganfyddwch bwysau cymedrig y pysgod a ddaliodd. Rhowch eich ateb yn gywir i un lle degol.

DH DA **8** Dyma betryal.

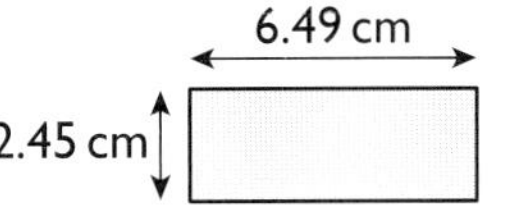

Eglurwch pam nad ydy 12 cm^2 yn amcangyfrif synhwyrol ar gyfer arwynebedd y petryal hwn.

DP DA **9** Mae Erica eisiau gwybod faint o filltiroedd bydd ei char yn teithio gan ddefnyddio un galwyn o betrol.

Llenwodd hi'r tanc petrol gyda phetrol nes ei fod yn llawn. Gyrrodd hi ei char am 307.6 o filltiroedd. Yna llenwodd Erica danc petrol ei char gyda 35.7 litr o betrol fel ei fod yn llawn eto.

Cyfrifwch faint o filltiroedd deithiodd car Erica gan ddefnyddio un galwyn o betrol. Rhowch eich ateb yn gywir i 2 le degol.

1 galwyn = 4.5461 litr

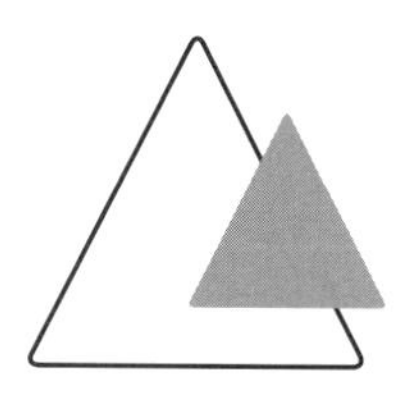

Rhif Llinyn 4 Ffracsiynau
Uned 3 Lluosi ffracsiynau

YS YMARFER SGILIAU — DH DATBLYGU HYDER — DP DATRYS PROBLEMAU — DA DULL ARHOLIAD

YS **1** Cyfrifwch y canlynol.

a $\frac{1}{2} \times \frac{1}{5}$

b $\frac{1}{3} \times \frac{1}{7}$

c $\frac{1}{2} \times \frac{3}{4}$

ch $\frac{1}{3} \times \frac{2}{5}$

d $\frac{2}{3} \times \frac{4}{9}$

dd $\frac{3}{4} \times \frac{2}{7}$

e $\frac{3}{4} \times \frac{3}{4}$

f $\frac{5}{7} \times \frac{8}{9}$

YS **2** Cyfrifwch y canlynol. Canslwch y ffracsiynau cyn lluosi.

a $\frac{1}{2} \times \frac{2}{3}$

b $\frac{1}{4} \times \frac{8}{9}$

c $\frac{1}{5} \times \frac{15}{16}$

ch $\frac{2}{3} \times \frac{6}{7}$

d $\frac{3}{5} \times \frac{5}{8}$

dd $\frac{3}{4} \times \frac{4}{9}$

e $\frac{5}{4} \times \frac{8}{15}$

f $\frac{3}{7} \times \frac{14}{33}$

YS **3** Cyfrifwch y canlynol. Canslwch y ffracsiynau cyn lluosi.

a $\frac{1}{3} \times \frac{3}{5} \times \frac{5}{7}$

b $\frac{2}{5} \times \frac{6}{7} \times \frac{5}{6}$

c $\frac{4}{7} \times \frac{7}{8} \times \frac{3}{5}$

ch $\frac{4}{9} \times \frac{5}{8} \times \frac{18}{25}$

d $\frac{9}{14} \times \frac{21}{25} \times \frac{5}{6}$

dd $\frac{27}{72} \times \frac{64}{81} \times \frac{15}{16}$

DH **4** Cysylltwch y cardiau canlynol.

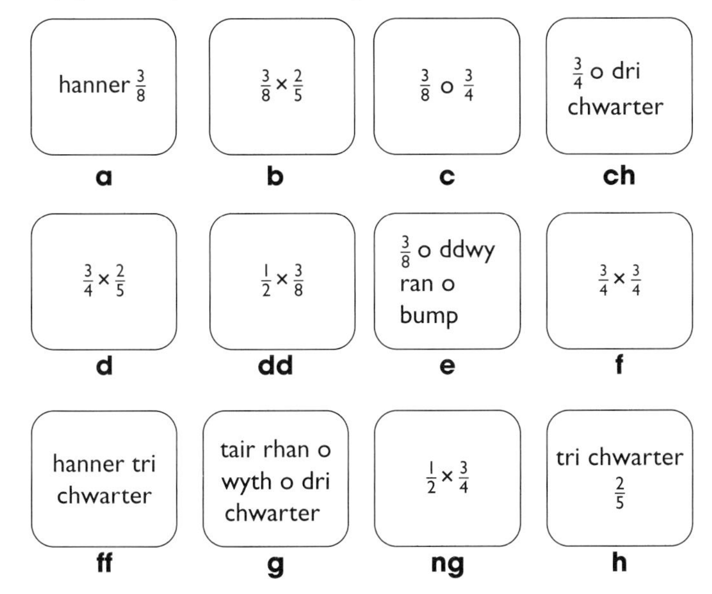

DH **5** Cwblhewch y canlynol, gan roi <, > neu = ym mhob blwch.

a $\frac{4}{5} \times \frac{5}{7}$ ☐ $\frac{4}{7}$

b $\frac{3}{5} \times \frac{5}{9}$ ☐ $\frac{2}{3}$

c $\frac{2}{3} \times \frac{3}{4}$ ☐ $\frac{1}{4}$

ch $\frac{4}{7} \times \frac{7}{9}$ ☐ $\frac{5}{9}$

d $\frac{15}{32} \times \frac{8}{25}$ ☐ $\frac{3}{20}$

dd $\frac{3}{4} \times \frac{8}{9}$ ☐ $\frac{7}{8} \times \frac{4}{7}$

DH **6** Mae gan Wilber gasgliad stampiau. Mae e'n rhoi $\frac{3}{7}$ o'i gasgliad stampiau i Percy. Mae Percy yn taflu $\frac{1}{6}$ o'r stampiau hyn i ffwrdd. Pa ffracsiwn o gasgliad stampiau Wilber daflodd Percy i ffwrdd?

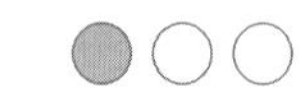

DP **7** Mae Oliver yn cael bil egni bob blwyddyn. Llynedd, roedd $\frac{7}{12}$ o fil egni Oliver ar gyfer trydan. Mae Oliver yn gwresogi ei ddŵr gan ddefnyddio trydan. Roedd $\frac{4}{5}$ o'r trydan hwn ar gyfer gwresogi dŵr.

Pa ffracsiwn o fil egni Oliver oedd ar gyfer gwresogi dŵr?

DH **8** Cwblhewch y canlynol. Pa ffracsiwn sydd i'w roi ym mhob blwch?

a $\frac{3}{7} \times \square = \frac{6}{35}$

b $\square \times \frac{2}{3} = \frac{8}{15}$

c $\frac{4}{5} \times \square = \frac{28}{45}$

ch $\square \times \frac{5}{6} = \frac{5}{8}$

d $\frac{9}{10} \times \square = \frac{9}{14}$

dd $\frac{3}{8} \times \square = \frac{1}{12}$

DH **9** Mae Olwen yn torri darn o bapur, A, yn ddwy ran, B ac C.
Yna mae hi'n torri rhan C yn ddwy ran, D ac E.

Mae rhan C yn $\frac{1}{3}$ o ran A. Mae rhan D yn $\frac{3}{10}$ o ran C.

Pa ffracsiwn o ran A yw

a rhan B

b rhan D

c rhan E?

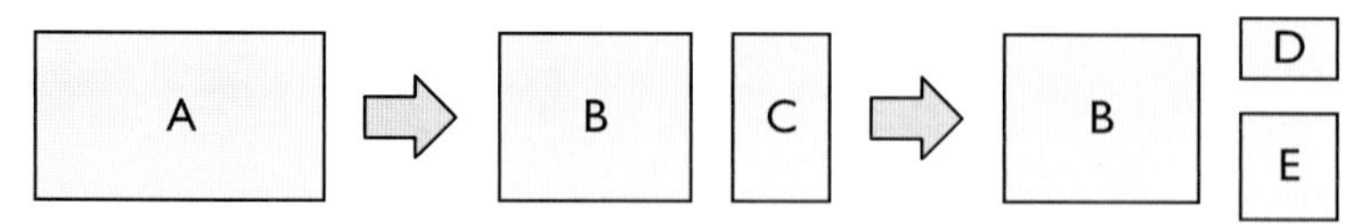

DP DA **10** Mae Zebedee yn cael rhywfaint o arian ar ei ben-blwydd. Mae e'n gwario $\frac{1}{4}$ ohono ar gerddoriaeth ac mae'n gwario $\frac{2}{3}$ o'r hyn sydd ar ôl ar drowsus.

Pa ffracsiwn o'i arian pen-blwydd wariodd Zebedee ar y trowsus?

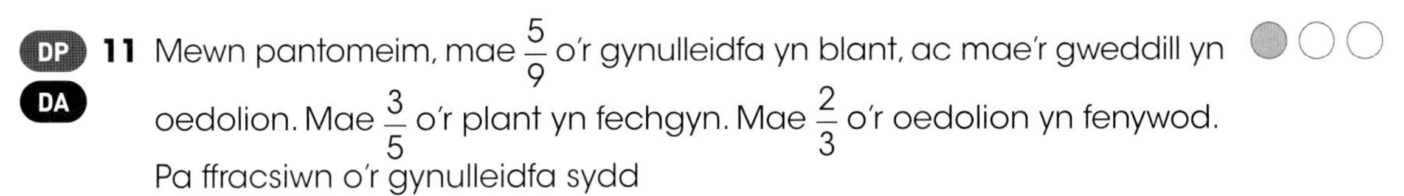

DP DA **11** Mewn pantomeim, mae $\frac{5}{9}$ o'r gynulleidfa yn blant, ac mae'r gweddill yn oedolion. Mae $\frac{3}{5}$ o'r plant yn fechgyn. Mae $\frac{2}{3}$ o'r oedolion yn fenywod. Pa ffracsiwn o'r gynulleidfa sydd

a yn fechgyn

b yn oedolion gwrywaidd?

DP DA **12** Prynodd Jake gar. Ar ddiwedd y flwyddyn gyntaf roedd gwerth y car yn $\frac{3}{4}$ o'i werth ddechrau'r flwyddyn. Ar ddiwedd pob blwyddyn wedi hynny, roedd gwerth y car yn $\frac{8}{9}$ o'i werth ar ddechrau'r flwyddyn honno. Cyfrifwch y nifer lleiaf o flynyddoedd bydd y car yn ei gymryd i fwy na haneru ei werth cychwynnol.

DH **13** Cyfrifwch arwynebedd pob un o'r siapiau canlynol. Rhowch eich atebion fel ffracsiynau ar eu ffurf symlaf.

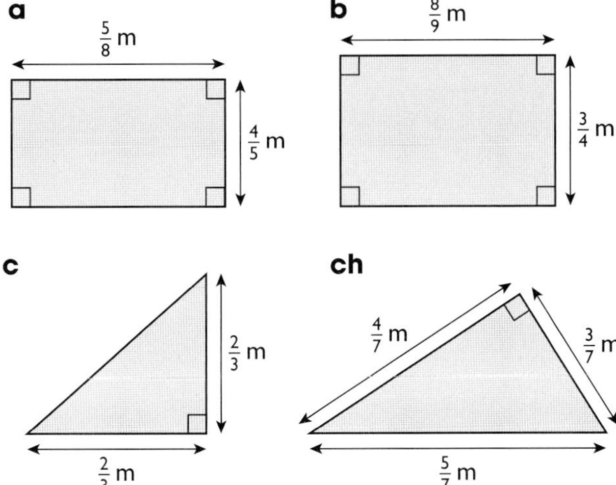

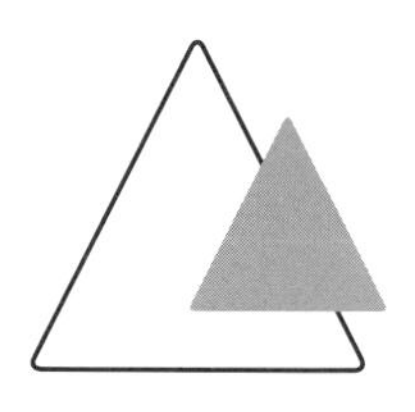

Rhif Llinyn 4 Ffracsiynau Uned 4 Adio a thynnu ffracsiynau

YS — YMARFER SGILIAU   DH — DATBLYGU HYDER   DP — DATRYS PROBLEMAU   DA — DULL ARHOLIAD

YS **1** Cyfrifwch y canlynol.

a $\frac{1}{5}+\frac{2}{5}$

b $\frac{4}{7}+\frac{2}{7}$

c $\frac{5}{9}-\frac{3}{9}$

ch $\frac{13}{15}-\frac{2}{15}$

d $\frac{3}{20}+\frac{7}{20}+\frac{9}{20}$

dd $\frac{5}{17}+\frac{8}{17}-\frac{3}{17}$

e $\frac{10}{13}-\frac{8}{13}+\frac{3}{13}$

f $\frac{9}{11}-\frac{3}{11}-\frac{5}{11}$

YS **2** Cyfrifwch y canlynol.

a $1-\frac{1}{6}$

b $1-\frac{2}{7}$

c $1-\frac{5}{8}$

ch $1-\frac{31}{100}$

d $1-\frac{1}{10}-\frac{2}{10}$

dd $1-\frac{4}{11}-\frac{2}{11}$

e $1-\frac{17}{21}+\frac{9}{21}$

f $1-\frac{27}{35}+\frac{11}{35}$

YS **3** Cyfrifwch y canlynol. Rhowch eich atebion fel ffracsiynau ar eu ffurf symlaf.

a $\frac{1}{8} + \frac{1}{4}$

b $\frac{3}{10} + \frac{1}{2}$

c $\frac{2}{3} + \frac{1}{9}$

ch $\frac{3}{4} + \frac{1}{12}$

d $\frac{15}{16} - \frac{3}{4}$

dd $\frac{4}{5} - \frac{7}{20}$

e $\frac{13}{18} - \frac{4}{9}$

f $\frac{7}{9} - \frac{4}{27}$

YS **4** Cyfrifwch y canlynol. Rhowch eich atebion fel ffracsiynau ar eu ffurf symlaf.

a $\frac{1}{3} + \frac{1}{4}$

b $\frac{1}{4} + \frac{2}{7}$

c $\frac{3}{5} - \frac{1}{3}$

ch $\frac{5}{7} - \frac{2}{3}$

d $\frac{3}{8} + \frac{2}{5}$

dd $\frac{5}{6} - \frac{4}{7}$

e $\frac{3}{8} + \frac{5}{12}$

f $\frac{7}{9} - \frac{5}{12}$

DH **5** Mae bag yn cynnwys dim ond cownteri lliw coch, lliw melyn a lliw gwyrdd. Mae $\frac{2}{9}$ o'r cownteri'n lliw coch. Mae $\frac{3}{5}$ o'r cownteri'n lliw melyn.

Pa ffracsiwn o'r cownteri sydd

a ddim yn lliw coch

b yn lliw coch neu'n lliw melyn

c yn lliw gwyrdd?

DH **6** $x = \frac{3}{5}, y = \frac{1}{7}$. Cyfrifwch

a $x + y$

b $x - y$

c $2x - 3y$.

DH **7** Cwblhewch y canlynol. Pa ffracsiwn sydd i'w roi ym mhob blwch er mwyn i'r ateb fod yn gywir?

a $\frac{3}{7} + \square = \frac{5}{7}$

b $\frac{56}{99} - \square = \frac{27}{99}$

c $\frac{7}{8} - \square = \frac{2}{5}$

ch $\frac{5}{16} + \square = \frac{7}{8}$

d $\frac{5}{9} + \square = \frac{2}{3}$

dd $\frac{3}{8} + \square = \frac{7}{12}$

e $\frac{4}{9} - \square = \frac{5}{12}$

f $\frac{19}{27} - \square = \frac{7}{18}$

DH **8** Mae Pierre yn darllen llyfr. Mae e'n darllen $\frac{1}{5}$ o'r llyfr ddydd Gwener, $\frac{1}{4}$ o'r llyfr ddydd Sadwrn ac $\frac{1}{3}$ o'r llyfr ddydd Sul.

Pa ffracsiwn o'r llyfr mae Pierre wedi ei ddarllen i gyd?

DH **9** Cyfrifwch y canlynol. Rhowch eich atebion fel ffracsiynau ar eu ffurf symlaf.

a $1 - \left(\frac{5}{8} - \frac{2}{5}\right)$

b $\left(\frac{5}{6} + \frac{1}{3}\right) - \left(\frac{5}{6} - \frac{1}{2}\right)$

c $\left(\frac{3}{8} - \frac{1}{4}\right) + \left(\frac{4}{5} - \frac{3}{10}\right)$

DP DA **10** Mae'r siart cylch yn dangos gwybodaeth am y mathau gwahanol o *pizza* mae rhai myfyrwyr yn eu hoffi orau.

Mae $\frac{4}{11}$ o'r myfyrwyr yn hoffi ham a phinafal orau.

a Pa ffracsiwn o'r myfyrwyr sy'n hoffi peperoni orau?

b Pa ffracsiwn o'r myfyrwyr sy'n hoffi caws a thomato orau?

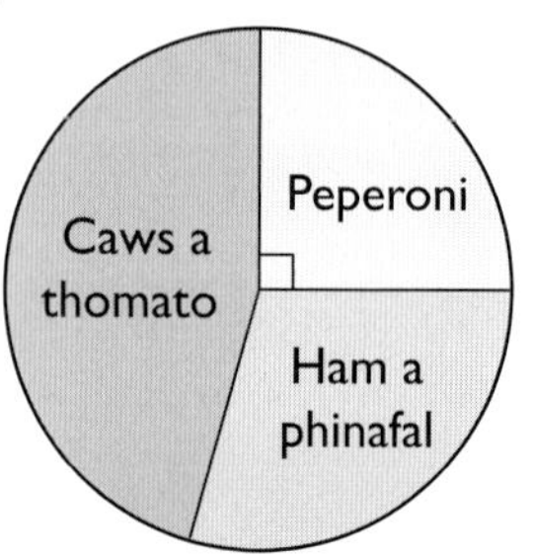

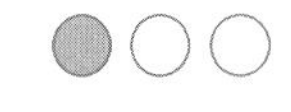

11 Dyma dri phot paent, pot A, pot B a phot C. Mae'r tri phot yr un maint.

Mae Pot A yn $\frac{1}{5}$ llawn o baent. Mae Pot B yn cynnwys dwywaith cymaint o baent â phot A. Mae Pot C yn $\frac{1}{4}$ llawn o baent.

Mae Jim eisiau cyfuno'r holl baent mewn un pot. Ydy e'n gallu gwneud hyn? Dangoswch sut rydych chi'n cael eich ateb.

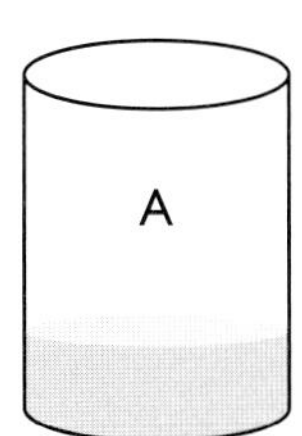

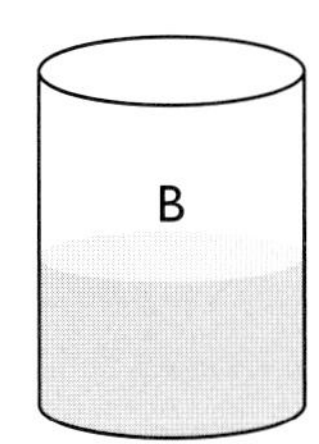

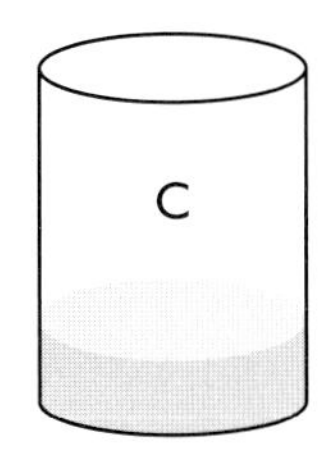

12 Mae'r diagram yn dangos petryal.
Cyfrifwch berimedr y petryal.
Rhowch eich ateb fel ffracsiwn ar ei ffurf symlaf.

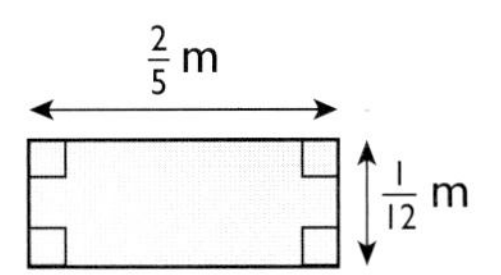

13 Mae Arwyn yn cymysgu cordial leim gyda dŵr i wneud gwydraid o ddiod leim. Mae e'n defnyddio $\frac{1}{20}$ o botel o gordial leim i wneud pob gwydraid o ddiod leim. Mae gan Arwyn $\frac{5}{8}$ o botel o gordial leim. Mae e'n dymuno gwneud cymaint o wydreidiau o ddiod leim â phosibl.

a Sawl gwydraid o ddiod leim mae e'n gallu ei wneud?

b Pa ffracsiwn o'r botel o gordial leim sydd ganddo ar ôl?

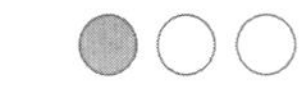

14 Cyfaint darn o gaws yw V cm^3. Mae Sarah yn torri'r darn o gaws yn dair rhan. Cyfaint y rhan leiaf yw $\frac{1}{9}V$cm^3.
Cyfaint y rhan fwyaf yw $\frac{3}{4}V$cm^3.

Beth yw cyfaint y rhan arall? Rhowch eich ateb yn nhermau V.

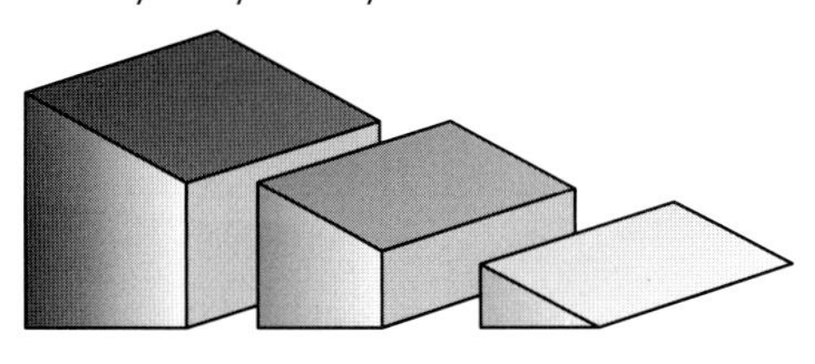

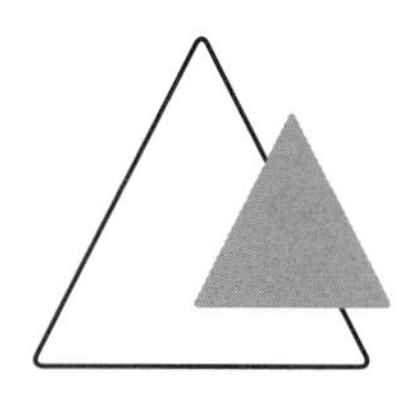

Rhif Llinyn 4 Ffracsiynau Uned 5 Gweithio gyda rhifau cymysg

YS YMARFER SGILIAU | DH DATBLYGU HYDER | DP DATRYS PROBLEMAU | DA DULL ARHOLIAD

YS **1** Copïwch a chwblhewch y tabl. Newidiwch rhwng rhifau cymysg a ffracsiynau pendrwm. Mae'r un cyntaf wedi'i wneud i chi.

	a	**b**	**c**	**ch**	**d**	**dd**	**e**	**f**
Rhif cymysg	$1\frac{3}{5}$	$2\frac{2}{3}$			$3\frac{4}{7}$	$7\frac{5}{6}$		$5\frac{7}{19}$
Ffracsiwn pendrwm	$\frac{8}{5}$		$\frac{13}{4}$	$\frac{39}{5}$			$\frac{131}{9}$	

YS **2** Cyfrifwch y canlynol. Ysgrifennwch bob ateb fel rhif cymysg.

a $2\frac{2}{5} + \frac{4}{5}$

b $3\frac{4}{5} - 1\frac{1}{5}$

c $5\frac{5}{7} + 2\frac{4}{7}$

ch $3\frac{2}{7} - 1\frac{3}{7}$

d $1\frac{3}{10} + 2\frac{2}{5}$

dd $4\frac{1}{3} - 2\frac{2}{9}$

e $2\frac{5}{6} + 3\frac{7}{12}$

f $4\frac{2}{11} - 1\frac{9}{22}$

ff $3\frac{7}{15} + 1\frac{13}{20}$

YS **3** Cyfrifwch y canlynol. Ysgrifennwch bob ateb fel rhif cymysg.

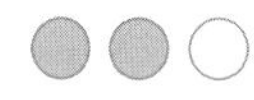

a $1\frac{2}{3} + 1\frac{3}{4}$

b $3\frac{4}{5} - 1\frac{2}{3}$

c $4\frac{1}{4} - 2\frac{4}{5}$

ch $3\frac{2}{5} + 1\frac{1}{6}$

d $1\frac{5}{6} + 2\frac{2}{7}$

dd $3\frac{2}{9} + 2\frac{3}{5}$

e $3\frac{5}{7} - 1\frac{7}{9}$

f $5\frac{5}{12} - 2\frac{6}{15}$

ff $3\frac{4}{15} + 5\frac{7}{45}$

YS **4** Cyfrifwch y canlynol. Canslwch y ffracsiynau cyn lluosi.

a $2\frac{2}{3} \times \frac{3}{4}$

b $\frac{3}{5} \times 3\frac{3}{4}$

c $1\frac{3}{5} \times 3\frac{1}{3}$

ch $3\frac{1}{5} \times 1\frac{3}{4}$

d $1\frac{1}{5} \times 4\frac{1}{6}$

dd $5\frac{1}{4} \times 2\frac{2}{7}$

e $3\frac{3}{5} \times \frac{8}{9}$

f $2\frac{2}{7} \times 4\frac{3}{8}$

ff $4\frac{4}{9} \times 5\frac{5}{8}$

DH **5** Mae gan Rhian ddau ddrwm olew, P a Q. Mae P yn cynnwys $5\frac{3}{4}$ galwyn o olew. Mae Q yn cynnwys $3\frac{2}{5}$ galwyn o olew.

a Cyfrifwch gyfanswm yr olew yn y ddau ddrwm olew.

b Mae P yn cynnwys mwy o olew na Q. Faint yn fwy?

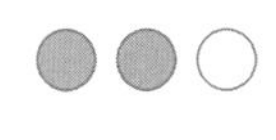

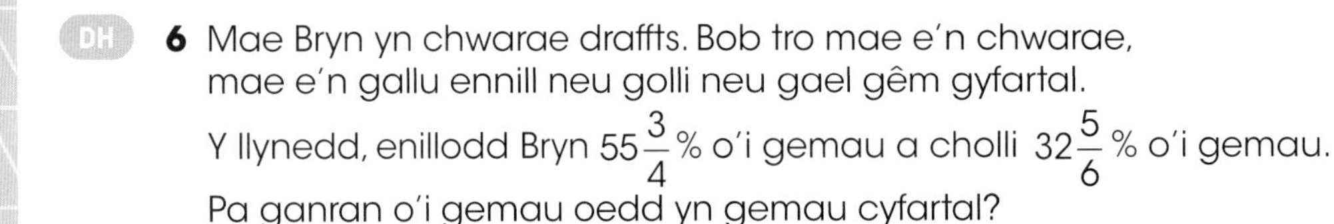

DH **6** Mae Bryn yn chwarae draffts. Bob tro mae e'n chwarae, mae e'n gallu ennill neu golli neu gael gêm gyfartal.

Y llynedd, enillodd Bryn $55\frac{3}{4}\%$ o'i gemau a cholli $32\frac{5}{6}\%$ o'i gemau.

Pa ganran o'i gemau oedd yn gemau cyfartal?

DH **7** Dyma ddau betryal. Cyfrifwch

a arwynebedd pob petryal

b perimedr pob petryal. Rhowch eich atebion fel rhifau cymysg ar eu ffurf symlaf.

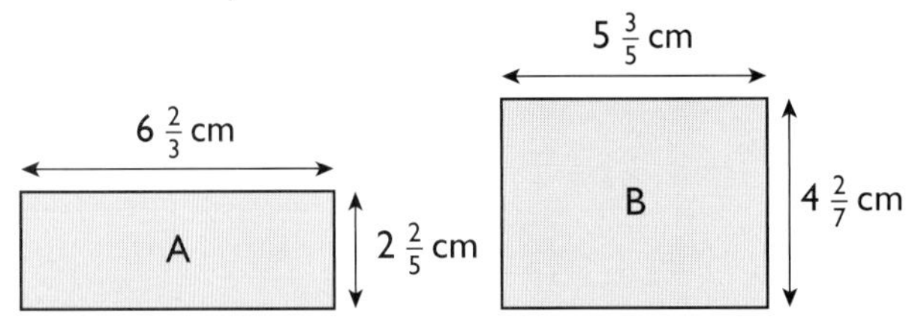

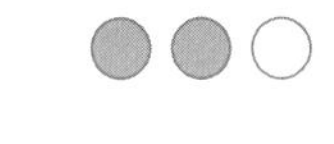

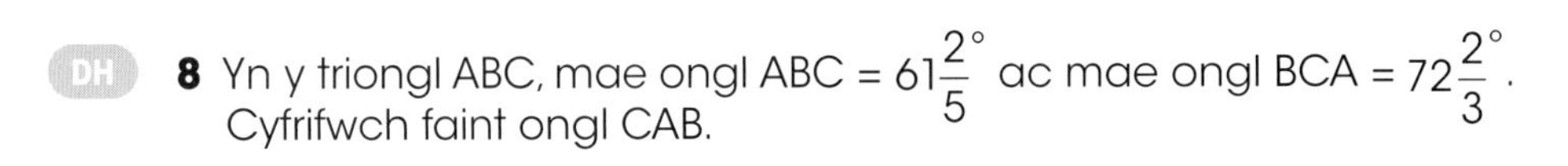

DH **8** Yn y triongl ABC, mae ongl ABC = $61\frac{2}{5}^\circ$ ac mae ongl BCA = $72\frac{2}{3}^\circ$. Cyfrifwch faint ongl CAB.

DP DA **9** Mae Riley yn defnyddio lori i fynd â graean i safle adeiladu. Mae'r tabl yn rhoi gwybodaeth am faint o raean gwnaeth Riley ei gymryd i'r safle adeiladu bob dydd yr wythnos diwethaf.

Mae Riley'n dweud: 'Gwnes i gymryd mwy nag $12\frac{1}{2}$ tunnell o raean i'r safle adeiladu yr wythnos diwethaf.' Ydy e'n iawn? Dangoswch sut rydych chi'n cael eich ateb.

Dydd	Llun	Mawrth	Mercher	Iau	Gwener
Cyfanswm y graean (mewn tunelli)	$2\frac{3}{4}$	2	$3\frac{1}{3}$	$1\frac{3}{5}$	3

DP DA **10** Mae Liam yn gyrru car yn California. Ddydd Sadwrn, gyrrodd e'r car i weld ei chwaer. Defnyddiodd $\frac{2}{3}$ o danc o betrol. Ddydd Sul, ail-lenwodd Liam y tanc a gyrrodd ei gar i weld ei frawd. Defnyddiodd $\frac{5}{6}$ o danc o betrol. Mae'r tanc petrol yng nghar Liam yn dal $7\frac{3}{5}$ galwyn o betrol. Mae e'n talu \$2.80 am 1 galwyn o betrol.

Faint dalodd Liam i gyd am y petrol a ddefnyddiodd i fynd i weld ei chwaer a'i frawd?

DP **11** Dyma ddau arwyddbost ar lwybr troed.
Cyfrifwch y pellter mewn milltiroedd ar y llwybr troed rhwng

a Stoneford ac Upton

b y ddau arwyddbost

c Upton a Pen Hill.

DP DA **12** Mae'r diagram yn dangos ystafell wag. Mae'r ystafell ar siâp ciwboid.
Mae gwyntyll echdynnu yn cael ei defnyddio i hidlo'r aer yn yr ystafell.
Mae'n cymryd 3 munud 20 eiliad i'r gwyntyll echdynnu hidlo 2 m³ o aer.

Cyfrifwch yr amser byrraf mae'n ei gymryd i'r gwyntyll echdynnu hidlo'r holl aer yn yr ystafell.

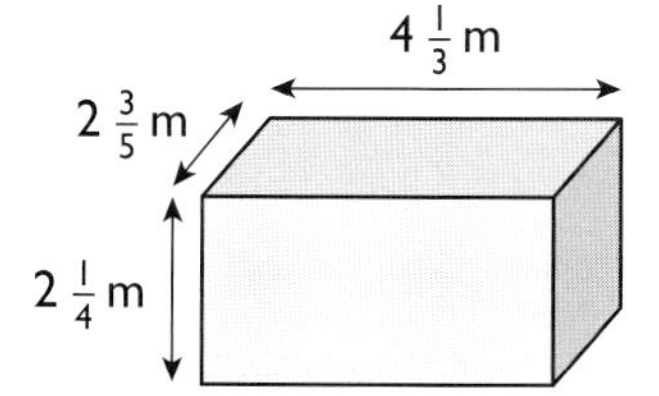

DH **13** $A = 2\frac{4}{5}$, $B = 3\frac{4}{7}$. Cyfrifwch

a $A + B$

b AB

c $5A + 7B$

ch $5(B - A)$

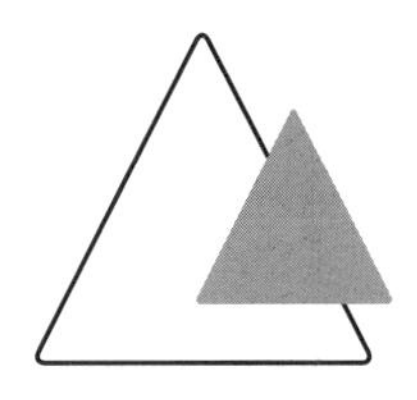

Rhif Llinyn 4 Ffracsiynau
Uned 6 Rhannu ffracsiynau

YS – YMARFER SGILIAU DH – DATBLYGU HYDER DP – DATRYS PROBLEMAU DA – DULL ARHOLIAD

Dylech chi ateb y cwestiynau yn yr uned hon *heb* ddefnyddio cyfrifiannell.

YS **1** Parwch bob rhif â'r cilydd cywir.

$\frac{1}{2}$	5	$\frac{3}{10}$	$\frac{2}{5}$	$3\frac{1}{3}$
$\frac{4}{15}$	2	$2\frac{1}{2}$	$\frac{1}{5}$	$3\frac{3}{4}$

YS **2** Newidiwch bob un o'r canlynol yn sym lluosi ac yna cyfrifwch yr ateb.

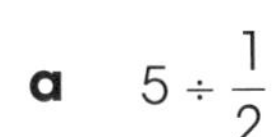

a $5 \div \frac{1}{2}$

b $8 \div \frac{1}{3}$

c $9 \div \frac{1}{4}$

ch $10 \div \frac{2}{3}$

d $15 \div \frac{3}{5}$

dd $20 \div \frac{5}{7}$

e $\frac{3}{5} \div 4$

f $\frac{2}{3} \div 5$

ff $\frac{4}{7} \div 8$

YS **3** Newidiwch bob un o'r canlynol yn sym lluosi ac yna cyfrifwch yr ateb. Canslwch y ffracsiynau cyn lluosi.

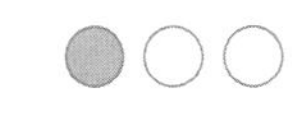

a $\frac{7}{10} \div \frac{1}{5}$

b $\frac{3}{8} \div \frac{1}{4}$

c $\frac{5}{9} \div \frac{1}{3}$

ch $\frac{9}{16} \div \frac{3}{4}$

d $\frac{9}{40} \div \frac{3}{5}$

dd $\frac{8}{15} \div \frac{4}{5}$

e $\frac{5}{9} \div \frac{1}{6}$

f $\frac{7}{10} \div \frac{14}{15}$

ff $\frac{15}{24} \div \frac{9}{16}$

YS **4** Newidiwch bob un o'r canlynol yn sym lluosi ac yna cyfrifwch yr ateb. Canslwch y ffracsiynau cyn lluosi.

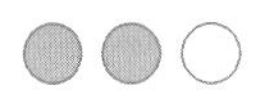

a $2\frac{1}{7} \div \frac{1}{7}$

b $5\frac{2}{3} \div \frac{1}{6}$

c $1\frac{5}{8} \div \frac{1}{4}$

ch $\frac{3}{4} \div 1\frac{1}{8}$

d $\frac{8}{15} \div 1\frac{1}{5}$

dd $\frac{5}{12} \div 2\frac{2}{9}$

e $3\frac{1}{9} \div 1\frac{1}{6}$

f $4\frac{9}{10} \div 1\frac{2}{5}$

ff $7\frac{4}{7} \div 2\frac{2}{21}$

DH **5** Mae bag yn cynnwys $1\frac{3}{5}$ lb (pwys) o siwgr. Mae llwy de yn dal $\frac{1}{150}$ lb o siwgr.

Sawl llwy de o siwgr sydd yn y bag?

DH **6** Rhowch =, < neu > ym mhob blwch.

a $1\frac{5}{9} \div \frac{7}{12}$ □ $2\frac{1}{3}$

b $\frac{2}{9} \div 1\frac{5}{6}$ □ $\frac{5}{33}$

c $5\frac{1}{4} \div 1\frac{3}{8}$ □ 4

ch $7\frac{3}{16} \div 1\frac{3}{4}$ □ $4\frac{1}{14}$

DH **7** Ysgrifennwch yr atebion i'r canlynol yn nhrefn maint. Dechreuwch gyda'r rhif lleiaf.

$5\frac{1}{3} \div 1\frac{5}{6}$ $4\frac{2}{5} \div 1\frac{1}{10}$ $7\frac{7}{8} \div 2\frac{3}{4}$ $10\frac{5}{12} \div 3\frac{1}{6}$

DH **8** Cwblhewch y grid lluosi hwn.

×	$1\frac{2}{5}$	**b**
$3\frac{3}{4}$	**a**	$2\frac{1}{4}$
c	**ch**	$5\frac{2}{3}$

DH **9** Cyfrifwch y canlynol.

a $2\frac{1}{3} \times 3\frac{3}{7} \div 2\frac{4}{9}$

b $5\frac{3}{4} \div 2\frac{5}{8} \times 3\frac{1}{2}$

c $8\frac{2}{5} \div 2\frac{7}{10} \div 1\frac{4}{9}$

DP DA **10** Mae'r diagram yn dangos wal betryal.

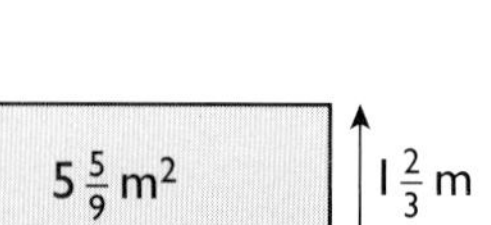

Arwynebedd y wal yw $5\frac{5}{9}$ m².

Lled y wal yw $1\frac{2}{3}$ m.

Cyfrifwch berimedr y wal.

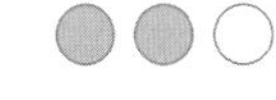

11 Mae gan Oleg ddau flwch o bowdr golchi. Yr un math o bowdr golchi sydd ym mhob blwch. Mae Oleg yn rhoi'r powdr golchi o'r blychau hyn i mewn i fagiau. Mae pob bag yn cynnwys $\frac{2}{5}$ kg o bowdr golchi pan mae'n llawn. Mae e'n llenwi cymaint o fagiau â phosibl.

Ddydd Sadwrn, mae Oleg yn gwerthu'r holl fagiau o bowdr golchi mewn marchnad. Mae e'n gwneud 75c o elw ar bob bag o bowdr golchi mae e'n ei werthu.
Beth oedd cyfanswm yr elw wnaeth Oleg?

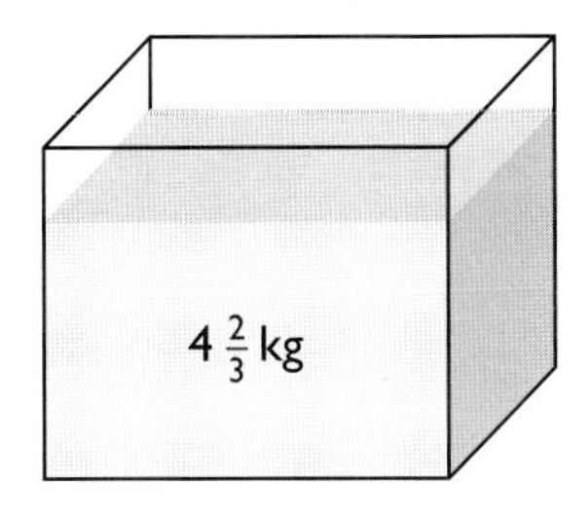

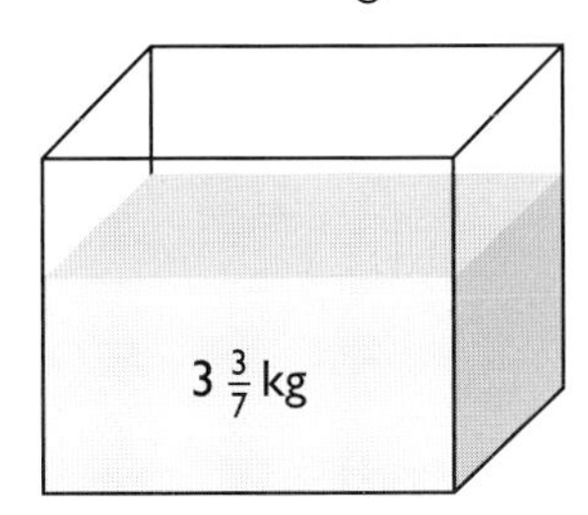

12 Mae Ravi yn mynd i roi porthiant lawnt ar ei lawnt. Arwynebedd cyfan lawnt Ravi yw 125 m^2. Mae pecyn o borthiant lawnt yn ddigon ar gyfer $4\frac{5}{7}$ m^2 o lawnt. Mae pob pecyn o borthiant lawnt yn costio £1.89. Mae Ravi yn credu bydd e'n gallu rhoi porthiant lawnt ar ei lawnt gyfan am lai na £50.
Ydy Ravi yn iawn? Dangoswch sut rydych chi'n cael eich ateb.

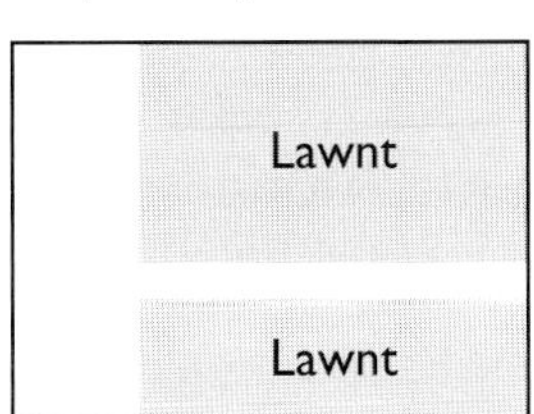

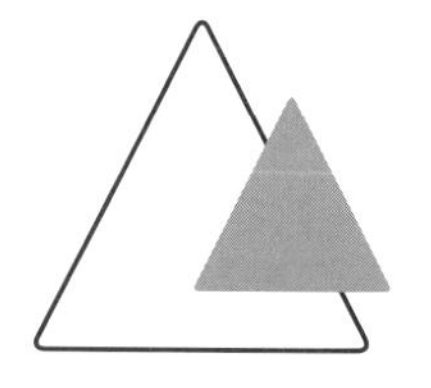

Rhif Llinyn 5 Canrannau Uned 2 Cyfrifo canrannau o feintiau gyda chyfrifiannell a heb gyfrifiannell

YS YMARFER SGILIAU DH DATBLYGU HYDER DP DATRYS PROBLEMAU DA DULL ARHOLIAD

DP **1** Atebwch y cwestiynau canlynol heb ddefnyddio cyfrifiannell.

a 10% o £340

b 5% o £200

c 25% o 400 metr

DP **2** Atebwch y cwestiynau canlynol heb ddefnyddio cyfrifiannell.

a 99% o £400

b 3% o 500 metr

c 14% o £500

DH **3** Defnyddiodd Harri 26% o'i danc llawn o betrol ddydd Llun. Mae'r tanc petrol yn dal 46 litr o danwydd pan mae'n llawn. Mae petrol yn costio £1.10 y litr.

Faint gostiodd y petrol ddefnyddiodd Harri ddydd Llun?
Rhowch eich ateb i'r geiniog agosaf.

DH **4** Mae Rowena yn cynilo i brynu car sy'n costio £4000. Mae hi wedi cynilo 35% o'r arian angenrheidiol yn barod.

Faint mwy o arian mae angen i Rowena ei gynilo i brynu'r car mae hi ei eisiau?

YS **5** Mae gan Dewi incwm o £19 000 y flwyddyn. Mae e'n cynilo 20% o'i incwm, mae e'n defnyddio 35% i dalu ei rent, ac mae e'n gwario 15% ar fwyd ac adloniant. Mae'r cyfan o weddill ei incwm yn mynd ar dalu biliau.

Faint y mis sydd gan Dewi i dalu ei filiau?

YS **6** Mae Bethan yn cael cynnig benthyciad o £2000 gan *Llewun*. Mae *Llewun* yn cynnig taliadau o £60 y mis am 3 blynedd. Mae Bethan yn credu bydd hi'n talu llog o 8% ar y benthyciad hwn.

Ydy hi'n gywir? Rhaid i chi ddangos eich gwaith cyfrifo.

DA **7** Mae Gwilym yn cael cynnig bonws, naill ai o 6% o'i gyflog o £18 000 y flwyddyn, neu £1000.

Pa un o'r ddau ddewis hyn fyddai'n rhoi'r bonws gorau i Gwilym? Rhaid i chi ddangos eich holl waith cyfrifo.

DA **8** Mae Jodi yn talu treth o 20% ar y £5000 cyntaf mae hi'n ei ennill. Yna rhaid iddi dalu treth o 45% ar y cyfan o weddill yr arian mae hi'n ei ennill. Mae Jodi yn ennill £18 500 y flwyddyn.

Faint o dreth bydd Jodi yn ei thalu?

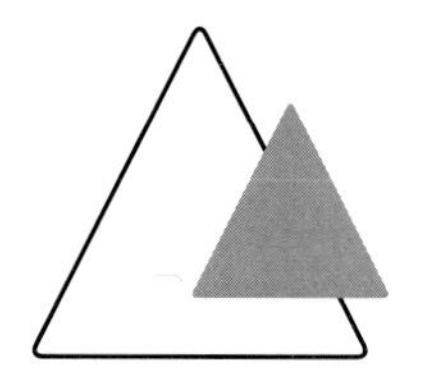

Rhif Llinyn 5 Canrannau Uned 3 Trawsnewid ffracsiynau a degolion yn ganrannau ac o ganrannau

YS — YMARFER SGILIAU   DH — DATBLYGU HYDER   DP — DATRYS PROBLEMAU   DA — DULL ARHOLIAD

YS **1** Ysgrifennwch y degolion canlynol fel canrannau.

a 0.75
b 0.25
c 0.4
ch 0.38
d 0.98
dd 0.165
e 0.592
f 0.06

YS **2** Ysgrifennwch y canrannau canlynol fel degolion.

a 75%
b 18%
c 90%
ch 5%
d 29.5%
dd 7.4%
e 156%
f 0.14%

YS **3** Ysgrifennwch y canrannau canlynol fel ffracsiynau ar eu ffurf symlaf.

a 17%
b 31%
c 70%
ch 25%

d 20%

dd 65%

e 72%

f 17.5%

YS **4** Ysgrifennwch bob ffracsiwn fel canran.

a $\frac{41}{100}$

b $\frac{3}{10}$

c $\frac{4}{5}$

ch $\frac{9}{20}$

d $\frac{17}{25}$

dd $\frac{5}{8}$

e $\frac{9}{24}$

f $\frac{10}{32}$

DH **5** Ysgrifennwch, gyda rhesymau, pa rai o'r gosodiadau canlynol sy'n gywir a pha rai sy'n anghywir.

a Mae $\frac{2}{5}$ yn fwy na 35%.

b Mae 28% yn hafal i 0.28.

c Mae $\frac{7}{9}$ yn llai na 75%.

ch Mae 0.65 yn hafal i $\frac{13}{20}$.

d Mae $\frac{14}{35}$ yn fwy na 40%.

dd Mae 60% yn llai na $\frac{35}{56}$.

DH **6** Mae bag yn cynnwys 50 cownter. Mae 27 o'r cownteri yn lliw glas, ac mae'r gweddill yn lliw coch.

a Pa ffracsiwn o'r cownteri sy'n lliw glas?

b Pa ganran o'r cownteri sy'n lliw glas?

c Pa ganran o'r cownteri sy'n lliw coch?

DH **7** Safodd Gwen ac Aled brawf iaith yr un. Cafodd Gwen 17 allan o 20 yn ei phrawf Sbaeneg. Cafodd Aled 13 allan o 15 yn ei brawf Ffrangeg.
Pwy gafodd y canran uchaf yn eu prawf iaith, Gwen neu Aled?

DH **8** Mae cyflwynydd tywydd yn dweud: 'Mae tebygolrwydd o 85% o law yfory.'

a Ysgrifennwch 85% fel degolyn.

b Ysgrifennwch 85% fel ffracsiwn ar ei ffurf symlaf.

DH **9** Arwynebedd siâp A yw 54 cm². Arwynebedd siâp B yw 85 cm².

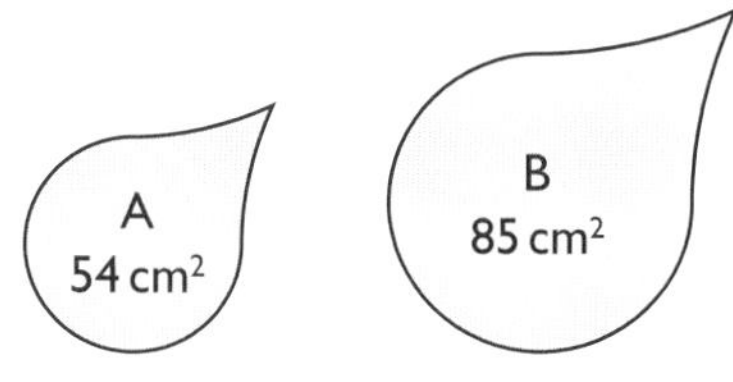

a Cyfrifwch arwynebedd siâp A fel canran o arwynebedd siâp B.

b Cyfrifwch arwynebedd siâp B fel canran o arwynebedd siâp A.

Rhowch eich atebion i ddau le degol.

DH **10** Mae Henry yn cynilo darnau arian mewn jar. Mae'r diagram yn dangos gwybodaeth am y darnau arian yn y jar.

a Faint o ddarnau arian sydd yn y jar?

b Pa ffracsiwn o'r darnau arian sy'n ddarnau 20c?

c Pa ganran o'r darnau arian sy'n ddarnau 10c?

ch Mae Henry yn credu bod 35% o'r darnau arian yn ddarnau 5c. Ydy e'n iawn? Eglurwch eich ateb.

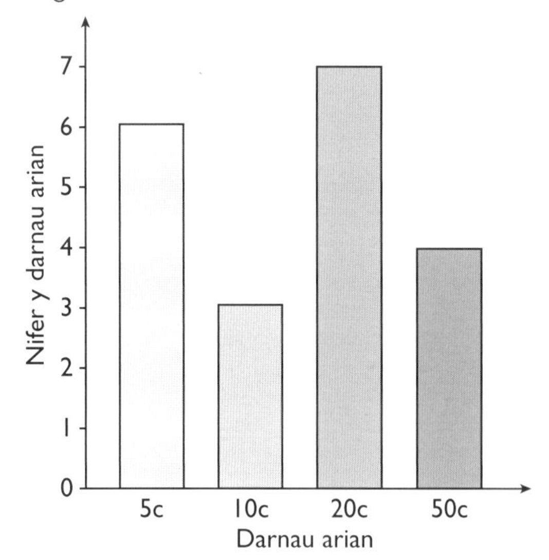

DH **11** Cyfrifwch y cofnodion coll yn y tabl.

Ffracsiwn	Degolyn	Canran
$\frac{2}{3}$	$0.\dot{6}$	**a**
$\frac{4}{9}$	**b**	$44.\dot{4}\%$
c	$0.\dot{3}$	$33.\dot{3}\%$
$\frac{5}{11}$	$0.\dot{4}\dot{5}$	**ch**
$\frac{7}{22}$	**d**	$31.\dot{8}\dot{1}\%$

DH **12** Ysgrifennwch $\frac{7}{20}$, 40%, 0.3 ac $\frac{11}{25}$ yn nhrefn maint. Dechreuwch gyda'r lleiaf.

DP DA **13** Mae Akemi yn chwarae tennis. Mae hi'n gallu ennill, colli neu gael gêm gyfartal yn y gemau mae hi'n eu chwarae.

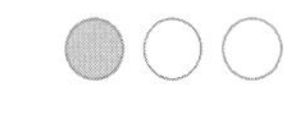

Y llynedd gwnaeth Akemi ennill 68% a cholli $\frac{2}{7}$ o'r gemau chwaraeodd hi.

Pa ganran o'r gemau oedd yn gemau cyfartal? Rhowch eich ateb yn gywir i 2 le degol.

DP DA **14** Pa un sydd fwyaf, $\frac{1}{3}$ neu 30%? Rhowch reswm dros eich ateb.

DP DA **15** Mae Sioned yn tyfu tiwlipau lliw pinc, tiwlipau lliw coch a thiwlipau lliw gwyn. Mae hi'n dweud: 'Mae 25% o'r tiwlipau yn lliw pinc, mae $\frac{9}{20}$ o'r tiwlipau yn lliw coch ac mae 0.35 o'r tiwlipau yn lliw gwyn.'

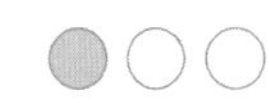

All Sioned ddim bod yn gywir. Eglurwch pam.

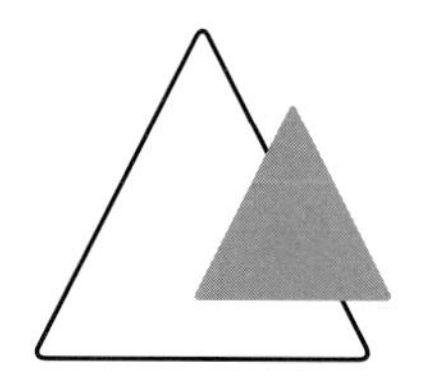

Rhif Llinyn 5 Canrannau Uned 4 Cymhwyso cynnydd a gostyngiad canrannol at symiau

YS – YMARFER SGILIAU DH – DATBLYGU HYDER DP – DATRYS PROBLEMAU DA – DULL ARHOLIAD

YS **1** Cyfrifwch y canlynol.

a **i** 1% o £250

ii 12% o £250

iii Gostwng £250 gan 12%.

b **i** 1% o £21.50

ii 18% o £21.50

iii Gostwng £21.50 gan 18%.

YS **2** Cyfrifwch y canlynol.

a Gostwng 350 g gan 17%.

b Cynyddu 326 m gan 21%.

c Gostwng £24.50 gan 6%.

ch Cynyddu 560 l gan 12.5%.

d Gostwng 125 cm gan 7.5%.

dd Cynyddu $1250 gan 3.5%.

YS **3** Mae Kim yn prynu dril pŵer am £68.50 plws TAW o 20%.
Faint mae hi'n ei dalu?

YS **4** Mae Jose yn prynu plât am £24. Mae e'n ei werthu drannoeth am elw o 45%.
Am faint mae Jose yn gwerthu'r plât?

DH **5** Cwblhewch y canlynol gan roi <, > neu = ym mhob blwch.

a Mae £350 wedi'i gynyddu 10% □ £430 wedi'i ostwng 10%

b Mae $49.50 wedi'i ostwng 15% □ $52.40 wedi'i ostwng 20%

c Mae €128 wedi'i gynyddu 29% □ €132 wedi'i gynyddu 26%

ch Mae ₳1250 wedi'i ostwng 15.8% □ ₳1100 wedi'i gynyddu 7.5%

DH **6** Mae Ravi yn teithio i'r gwaith ar y trên. Ddydd Llun cymerodd 1 awr 40 munud iddo deithio i'r gwaith. Ddydd Mawrth cymerodd 15% yn llai o amser iddo deithio i'r gwaith.

Faint o amser gymerodd Ravi i deithio i'r gwaith ddydd Mawrth?

DH **7** Mae Yasmin yn cael pryd o fwyd mewn tŷ bwyta. Dyma ei bil.

Siop Sglodion Alf	
Pysgod a sglodion	£9.85
Te	£1.35
Is-gyfanswm	**a**
Tâl gwasanaeth o 15%	**b**
Cyfanswm i'w dalu	**c**

Cyfrifwch y cofnodion coll yn y bil.

PB DA **8** Mae'r tabl yn rhoi gwybodaeth am boblogaeth Riverton yn 2005 ac yn 2015. Mae Marco yn dweud: 'Mae poblogaeth Riverton wedi cynyddu 10% rhwng 2005 a 2015.' Ydy e'n iawn? Eglurwch eich ateb.

Blwyddyn	2005	2015
Poblogaeth	15310	16678

DP DA **9** Mae Fiona yn gweithio mewn warws. Am y 20 awr cyntaf mae hi'n gweithio mewn wythnos, mae hi'n cael ei thalu ar gyfradd o £7.80 yr awr. Am bob awr ychwanegol mae hi'n gweithio, mae ei chyfradd yr awr yn cynyddu 35%. Yr wythnos diwethaf gweithiodd Fiona 28 awr.

Cyfrifwch ei chyflog.

DP DA **10** Mae Morgan yn mesur hyd oes dau fatri, batri A a batri B. Hyd oes batri A oedd 36 awr. Hyd oes batri B oedd 48 awr. Mae gwneuthurwr y batris yn dweud bod batri B yn para o leiaf 30% yn hirach na batri A.

Ydy'r gwneuthurwr yn gywir? Eglurwch eich ateb.

DH DA **11** Mae Chelsea yn buddsoddi £4800 ar log syml o 2.4% y flwyddyn. Cyfrifwch gyfanswm gwerth y buddsoddiad ar ôl 3 blynedd.

DP DA **12** Yn y triongl ABC, mae ongl CAB = 40° ac mae ongl ABC 65% yn fwy nag ongl CAB.

Cyfrifwch ongl BCA.

DP **13** Mae'r diagram yn dangos dau gylch, cylch P a chylch Q. Arwynebedd cylch P yw 50 cm^2. Mae arwynebedd cylch Q 27.5% yn fwy nag arwynebedd cylch P.

Cyfrifwch radiws cylch Q. Rhowch eich ateb yn gywir i 2 le degol.

P
50 cm^2

Q

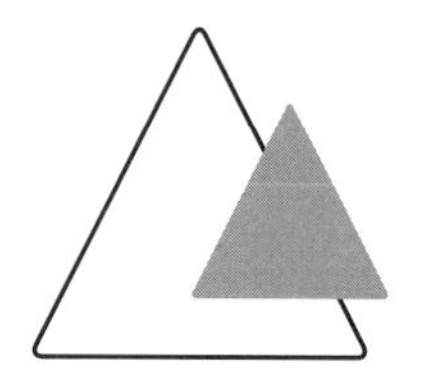

Rhif Llinyn 5 Canrannau Uned 5 Darganfod y newid canrannol o un swm i swm arall

YS **1** Cyfrifwch y canlynol.

- **a** Ysgrifennwch £2.75 fel canran o £20.
- **b** Ysgrifennwch 49.5°C fel canran o 112.5°C.
- **c** Ysgrifennwch 720 mm fel canran o 960 mm.
- **ch** Ysgrifennwch 15.6 litr fel canran o 32.5 litr.
- **d** Ysgrifennwch 45° fel canran o 360°.
- **dd** Ysgrifennwch 49.5 s fel canran o 120 s.

YS **2** Ysgrifennwch y rhif cyntaf fel canran o'r ail rif. Rhowch eich ateb yn gywir i 1 lle degol.

- **a** 2, 7
- **b** 17, 35
- **c** 27, 95
- **ch** 29, 316
- **d** 359, 511
- **dd** 511, 359
- **e** 18, 10.6
- **f** 0.789, 1.249

DH **3** Prynodd Owen gar am £2400. Drannoeth gwerthodd e'r car am £3200.

- **a** Faint o elw wnaeth ef?
- **b** Beth yw ei elw canrannol?

DH **4** Pwysau Liam oedd 85 kg ar ddechrau'r deiet a 77 kg ar ddiwedd y deiet.

a Faint o bwysau gollodd ef?

b Beth yw'r golled ganrannol yn ei bwysau? Rhowch eich ateb yn gywir i 1 lle degol.

DH **5** Uchder coeden ar ddechrau'r flwyddyn yw 17.5 m. Uchder y goeden ar ddiwedd y flwyddyn yw 18.9 m.

Cyfrifwch y cynnydd canrannol yn uchder y goeden.

DP DA **6** Mae'r diagram yn dangos gwybodaeth am y cownteri mewn bag.

a Cyfrifwch ganran y cownteri lliw glas yn y bag.

Mae canran y cownteri lliw du yn y bag yn fwy na chanran y cownteri lliw gwyrdd yn y bag.

b Faint yn fwy?

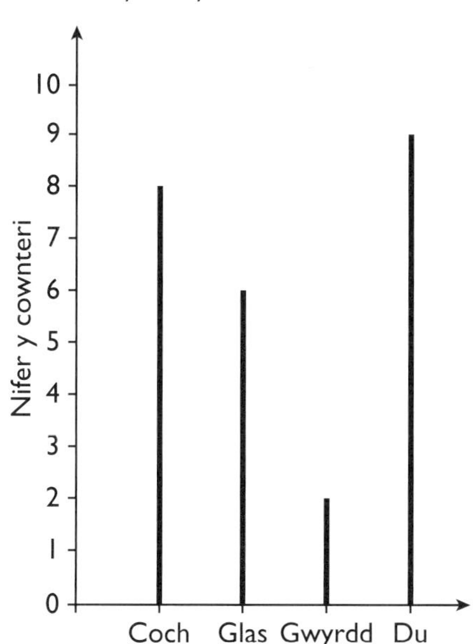

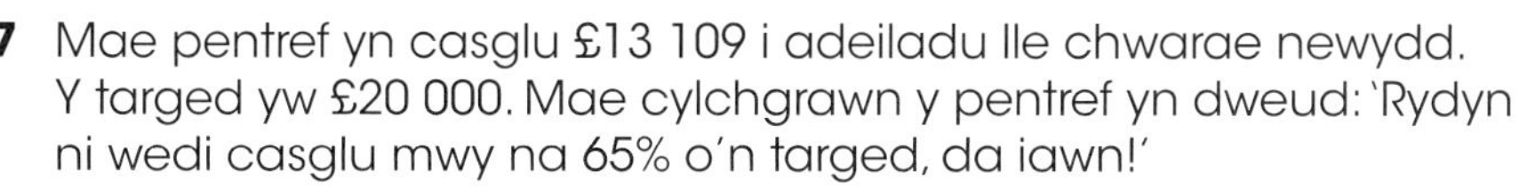

DP ES **7** Mae pentref yn casglu £13 109 i adeiladu lle chwarae newydd. Y targed yw £20 000. Mae cylchgrawn y pentref yn dweud: 'Rydyn ni wedi casglu mwy na 65% o'n targed, da iawn!'

Ydy cylchgrawn y pentref yn gywir? Eglurwch eich ateb.

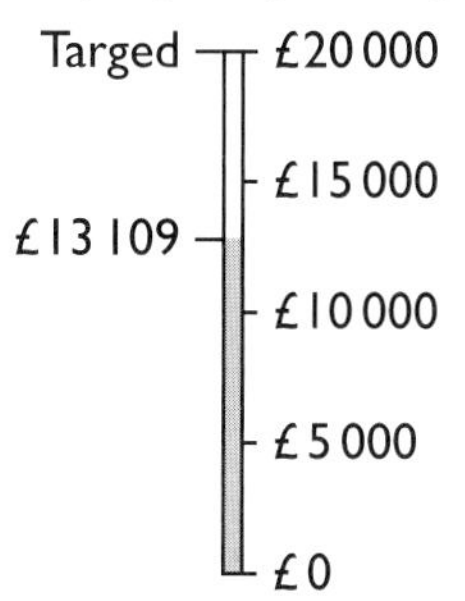

8 Mae'r diagram yn rhoi gwybodaeth am gyllid cwmni. 

a Pa ganran o gyllid y cwmni sy'n drethi?

Mae cyfarwyddwr y cwmni'n cael bonws os yw'r elw 10% yn fwy na'r costau.

b Ydy cyfarwyddwr y cwmni'n cael bonws? Rhowch reswm dros eich ateb.

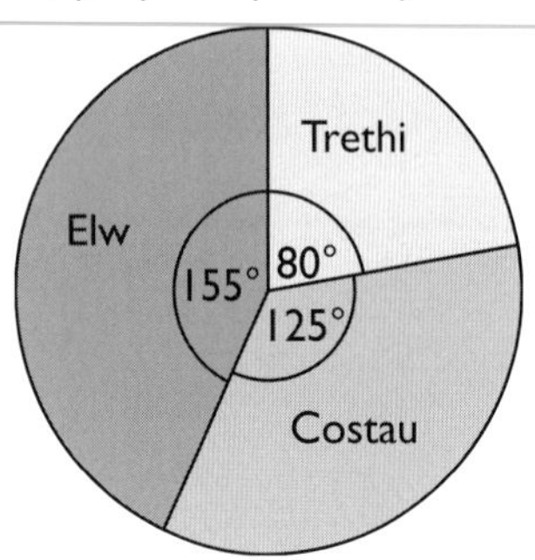

DP DA **9** Mae blwch yn cynnwys dim ond siapiau saeth a siapiau seren.

a Pa ganran o'r siapiau sy'n siapiau seren? 

Mae Ben yn mynd i ychwanegu rhagor o siapiau saeth at y blwch.
Mae Ben eisiau i ganran y siapiau saeth yn y blwch fod yn hafal i 70%.

b Faint mwy o siapiau saeth mae angen iddo eu hychwanegu at y blwch? 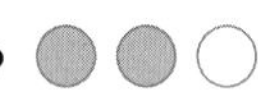

 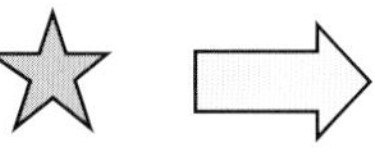  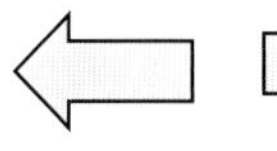 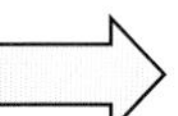

   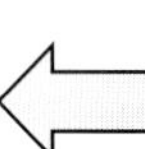 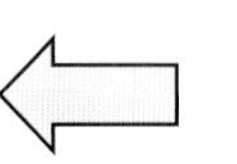 

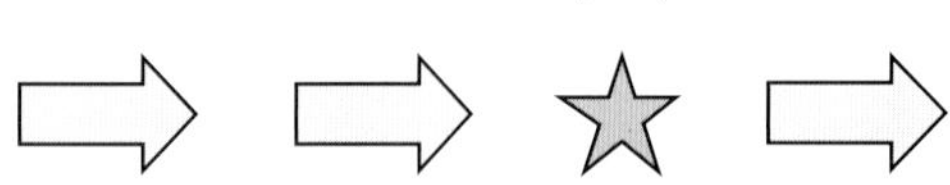

DP DA **10** Mae'r diagram yn dangos y pellterau rhwng rhai trefi, mewn km.
Mae Laura yn mynd i yrru o Templeton i Tollercombe. Mae llwybr y gogledd yn mynd â hi drwy Whitchurch a Green Hill. Mae llwybr y de yn mynd â hi drwy Thursk.

Cyfrifwch y cynnydd canrannol yn hyd ei thaith os bydd hi'n cymryd llwybr y gogledd yn hytrach na llwybr y de. Rhowch eich ateb yn gywir i 1 lle degol.

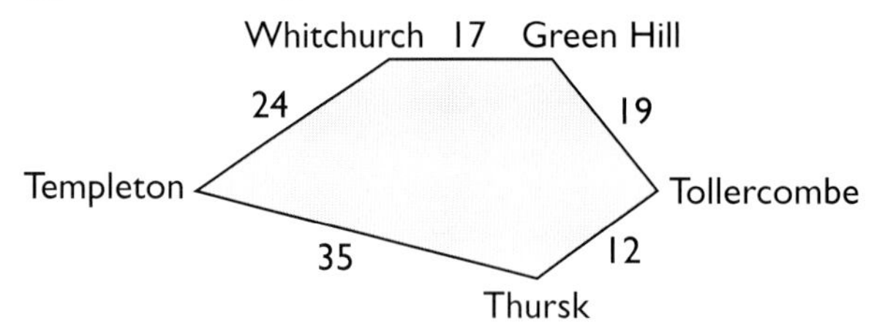

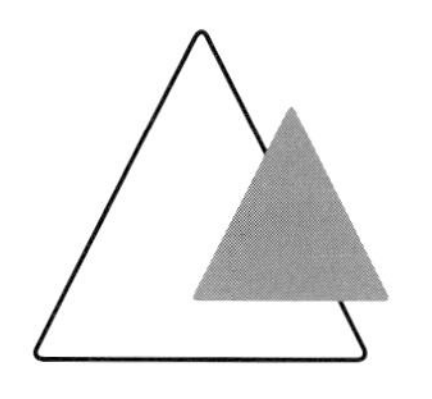

Rhif Llinyn 6 Cymarebau a chyfrannedd Uned 2 Rhannu yn ôl cymhareb benodol

YS YMARFER SGILIAU | DH DATBLYGU HYDER | DP DATRYS PROBLEMAU | DA DULL ARHOLIAD

YS **1** Cyfrifwch y canlynol.

a Rhannwch 72 yn ôl y gymhareb 1 : 5.

b Rhannwch 48 yn ôl y gymhareb 1 : 3.

c Rhannwch 81 yn ôl y gymhareb 2 : 1.

ch Rhannwch 200 yn ôl y gymhareb 4 : 1.

YS **2** Cyfrifwch y canlynol.

a Rhannwch 60 yn ôl y gymhareb 2 : 3.

b Rhannwch 91 yn ôl y gymhareb 3 : 4.

c Rhannwch 105 yn ôl y gymhareb 5 : 2.

ch Rhannwch 250 yn ôl y gymhareb 7 : 3.

YS **3** Cyfrifwch y canlynol.

a Rhannwch 54 yn ôl y gymhareb 1 : 3 : 2.

b Rhannwch 90 yn ôl y gymhareb 5 : 2 : 3.

c Rhannwch 117 yn ôl y gymhareb 2 : 3 : 4.

ch Rhannwch 425 yn ôl y gymhareb 1 : 1 : 3.

DH **4** Mae diod oren yn cael ei gwneud o sudd oren a dŵr yn ôl y gymhareb 1 : 14. Mae Shelly yn gwneud rhywfaint o ddiod oren. Mae hi'n defnyddio 25 ml o sudd oren.

Faint o ddŵr sydd ei angen arni?

DH **5** Mae blwch siocledi yn cynnwys siocledi llaeth a siocledi plaen yn ôl y gymhareb 3 : 4.

Pa ffracsiwn o'r blwch siocledi sy'n

a siocledi llaeth

b siocledi plaen?

DH **6** Mae Haan a Ben yn ennill y wobr gyntaf mewn cystadleuaeth dennis i barau. Y wobr gyntaf yw £600. Maen nhw'n rhannu'r wobr yn ôl y gymhareb 7 : 5.

a Faint mae Haan yn ei gael?

Mae Haan nawr yn rhannu ei ran ef o'r wobr gyda Tania yn ôl y gymhareb 2:3.

b Faint mae Tania yn ei gael?

DH **7** Mae Gwen ac Ellis yn rhannu cost pryd bwyd yn ôl y gymhareb 2 : 5. Cost y pryd bwyd yw £66.50. Mae Ellis yn talu mwy na Gwen.

Faint yn fwy?

DH **8** Mae bag yn cynnwys darnau 20c a darnau 50c yn ôl y gymhareb 7 : 5. Mae cyfanswm o 180 o ddarnau arian yn y bag.

Cyfrifwch gyfanswm yr arian yn y bag.

DH **9** Mae arwynebedd pentagon A ac arwynebedd pentagon B yn y gymhareb 5 : 9. Arwynebedd pentagon A yw 105 cm^2.

Cyfrifwch arwynebedd pentagon B.

A
105 cm^2
B

DP DA **10** Mae blwch yn cynnwys cownteri lliw coch, lliw glas a lliw gwyrdd yn ôl y gymhareb 2:4:3.

a Pa ffracsiwn o'r cownteri sy'n lliw glas?

b Pa ffracsiwn o'r cownteri sydd ddim yn lliw coch?

Mae 27 cownter lliw gwyrdd yn y bag.

c Cyfrifwch gyfanswm y cownteri yn y bag.

DP DA **11** Mae Viki yn prynu cadeiriau pren a chadeiriau plastig yn ôl y gymhareb 3 : 7. Cost pob cadair bren yw £31.60. Cost pob cadair blastig yw £15.80. Cyfanswm cost y cadeiriau pren yw £284.40.

Faint yw'r cyfanswm mae Viki yn ei dalu am y cadeiriau plastig?

DP DA **12** Mae'r onglau mewn triongl yn ôl y gymhareb 2:3:7.

Dangoswch nad ydy'r triongl yn driongl ongl sgwâr.

DP **13** Mae blwch yn cynnwys dim ond beiros glas a beiros du yn ôl y gymhareb 5 : 4. Mae Olivia yn cymryd 8 beiro glas o'r blwch. Nawr mae nifer y beiros glas yn y blwch yn hafal i nifer y beiros du yn y blwch.

Cyfrifwch gyfanswm y beiros yn y blwch.

DP **14** Mae hyd a lled petryal yn y gymhareb 5 : 3. Perimedr y petryal yw 120 cm.

Cyfrifwch arwynebedd y petryal.

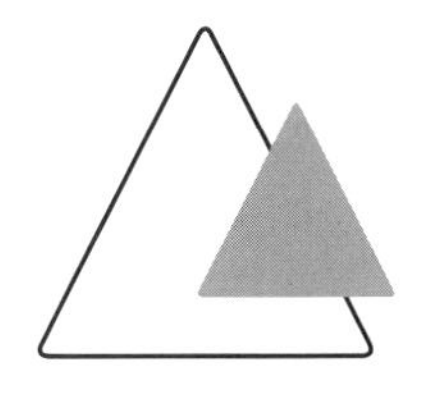

Rhif Llinyn 6 Cymarebau a chyfrannedd Uned 3 Gweithio gyda meintiau cyfrannol

YS — YMARFER SGILIAU   DH — DATBLYGU HYDER   DP — DATRYS PROBLEMAU   DA — DULL ARHOLIAD

YS **1** Mae 7 batri yn costio cyfanswm o £8.75.

a Beth yw cost 1 batri?

b Beth yw cost 5 batri?

YS **2** Mae 12 stamp yn costio cyfanswm o £6.96.

a Beth yw cost 1 stamp?

b Beth yw cost 17 stamp?

YS **3** Mae 8 cyfrifiannell yn costio cyfanswm o £46.80.

a Beth yw cost 5 cyfrifiannell?

b Beth yw cost 13 cyfrifiannell?

YS **4** Mae cyfanswm o 252 o fatsys mewn 7 blwch unfath o fatsys.
Faint o fatsys sydd mewn

a 5 blwch o fatsys

b 11 blwch o fatsys?

YS **5** Mae 180 o becynnau o greision mewn 5 blwch. Faint o becynnau o greision sydd mewn

a 3 blwch

b 8 blwch?

DH **6** Dyma rysáit i wneud 12 o fisgedi almon. Mae Nain yn mynd i ddefnyddio'r rysáit hon i wneud 21 o'r bisgedi.
Faint o bob cynhwysyn sydd ei angen arni?

Bisgedi almon

(i wneud 12 o fisgedi)

5 owns menyn	8 owns blawd
1 owns almonau mâl	3 owns siwgr mân

DH **7** Mae'r label ar botel 0.75 litr o Ddiod Ffrwythau yn dweud ei bod yn gwneud 60 diod.

Beth ddylai'r label ar botel 1.75 litr o Ddiod Ffrwythau ei ddweud am nifer y diodydd mae'n eu gwneud?

DH **8** Mae blychau o glipiau papur i'w cael mewn dau faint a dau bris.

a Ar gyfer y blwch bach o glipiau papur, cyfrifwch gost 1 clip papur.

b Pa flwch yw'r gwerth gorau am arian? Eglurwch eich ateb.

Blwch bach: 50 clip papur, £1.40

Blwch mawr: 225 clip papur, £6.75

DH **9** Ar gyfer pob un o'r canlynol, darganfyddwch y gwerth gorau am arian. Eglurwch eich atebion.

a 5 pren mesur am £8 *neu* 7 pren mesur am £10.50

b 15 onglydd am £10.20 *neu* 12 onglydd am £8.40

c 13 cwmpas am £51 *neu* 17 cwmpas am £66

DH **10** Mae sbring yn ymestyn 6.3 cm os yw grym o 28 newton (28 N) yn cael ei roi arno.

a Faint mae'r sbring yn ymestyn os yw grym o 15 N yn cael ei roi arno?

Mae'r sbring yn ymestyn 2.7 cm os yw grym *F*N yn cael ei roi arno.

b Cyfrifwch werth *F*.

DP DA **11** Mae'r tabl yn rhoi gwybodaeth am gyflog Mani ar gyfer yr wythnos diwethaf.
Yr wythnos hon gweithiodd Mani 30 awr ar gyfradd safonol a 10 awr ar gyfradd fonws.

Faint yn fwy enillodd ef yr wythnos hon o'i chymharu â'r wythnos diwethaf?

	Nifer yr oriau wedi'u gweithio	Cyfanswm
Cyfradd safonol	35	£273.70
Cyfradd fonws	5	£60.80
		£334.50

12 Mae Aabish yn mynd i wneud concrit. Mae ganddi 100 kg o sment, 180 kg o dywod garw, 400 kg o agreg a chyflenwad diderfyn o ddŵr.

Cyfrifwch y maint mwyaf o goncrit mae Aabish yn gallu ei wneud.

Defnyddiau ar gyfer concrit	
(i wneud 0.125 m^3)	
Sment	40 kg
Tywod garw	75 kg
Agreg	150 kg
Dŵr	22 litr

13 Mae parsel yn cynnwys 12 pastai fawr a 5 pastai fach. Cyfanswm pwysau'r 12 pastai fawr yw 14.88 kg. Cyfanswm pwysau'r 5 pastai fach yw 4.25 kg.

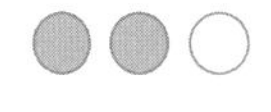

Mae John yn gwneud parsel gwahanol. Mae'r parsel yn cynnwys 8 pastai fawr a 7 pastai fach.

a Cyfrifwch gyfanswm pwysau pasteiod John.

Mae Jenny hefyd yn gwneud parsel. Mae'r parsel yn cynnwys 7 pastai fawr a rhai pasteiod bach. Cyfanswm pwysau'r holl basteiod yn ei pharsel hi yw 11.23 kg.

b Cyfrifwch nifer y pasteiod bach ym mharsel Jenny.

14 Mae ffa pob i'w cael mewn tri maint o dun. Mae'r tabl yn rhoi gwybodaeth am y tuniau hyn.

Tun o ba faint yw'r gwerth gorau am arian? Eglurwch eich ateb.

Maint y tun	Pwysau'r ffa pob (gramau)	Cost (c)
Bach	180	28
Canolig	415	64
Mawr	840	130

15 Uchder Cerflun Rhyddid (*Statue of Liberty*) yw 305 troedfedd. Uchder Eglwys Gadeiriol Sant Paul yw 111 metr. (Mae 10 troedfedd tua 3 metr.)

Pa un yw'r uchaf, Cerflun Rhyddid neu Eglwys Gadeiriol Sant Paul?

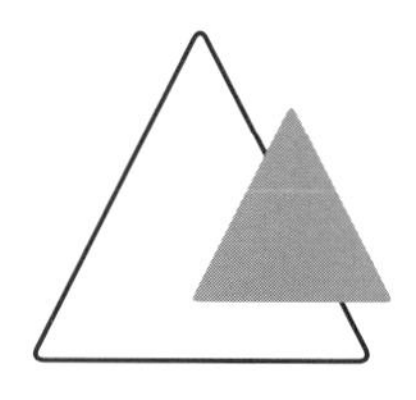

Rhif Llinyn 7 Priodweddau rhif Uned 4 Nodiant indecs

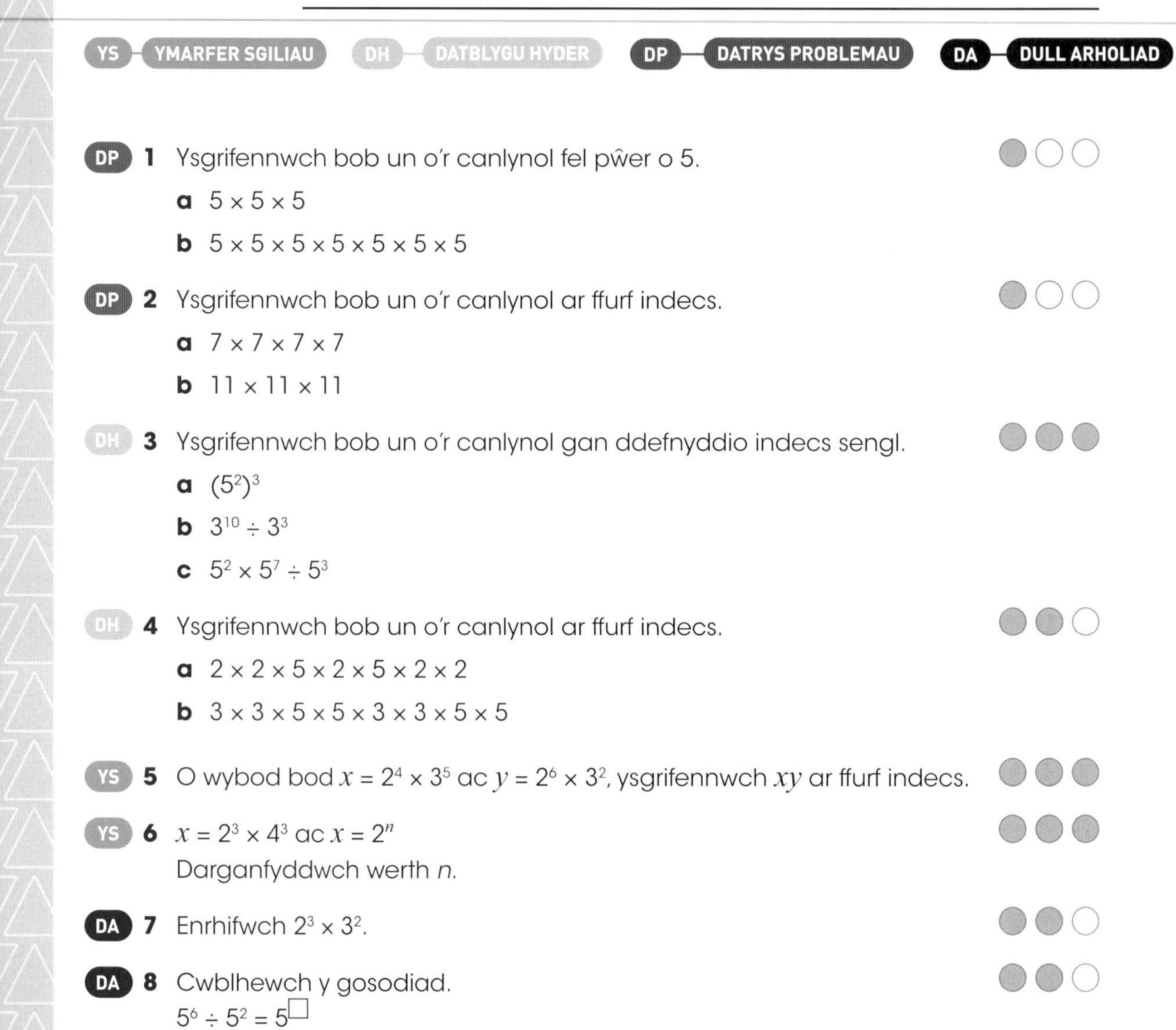

DP **1** Ysgrifennwch bob un o'r canlynol fel pŵer o 5.

a $5 \times 5 \times 5$

b $5 \times 5 \times 5 \times 5 \times 5 \times 5 \times 5$

DP **2** Ysgrifennwch bob un o'r canlynol ar ffurf indecs.

a $7 \times 7 \times 7 \times 7$

b $11 \times 11 \times 11$

DH **3** Ysgrifennwch bob un o'r canlynol gan ddefnyddio indecs sengl.

a $(5^2)^3$

b $3^{10} \div 3^3$

c $5^2 \times 5^7 \div 5^3$

DH **4** Ysgrifennwch bob un o'r canlynol ar ffurf indecs.

a $2 \times 2 \times 5 \times 2 \times 5 \times 2 \times 2$

b $3 \times 3 \times 5 \times 5 \times 3 \times 3 \times 5 \times 5$

YS **5** O wybod bod $x = 2^4 \times 3^5$ ac $y = 2^6 \times 3^2$, ysgrifennwch xy ar ffurf indecs.

YS **6** $x = 2^3 \times 4^3$ ac $x = 2^n$

Darganfyddwch werth n.

DA **7** Enrhifwch $2^3 \times 3^2$.

DA **8** Cwblhewch y gosodiad.

$5^6 \div 5^2 = 5^{\square}$

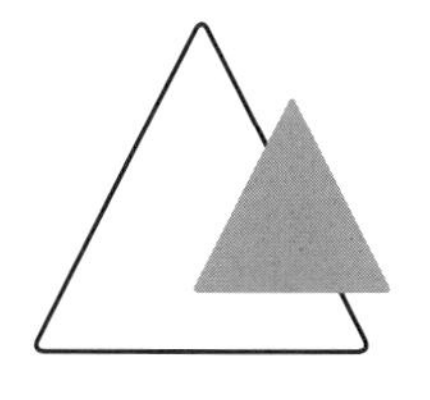

Rhif Llinyn 7 Priodweddau rhif Uned 5 Ffactorio rhifau cysefin

YS YMARFER SGILIAU DH DATBLYGU HYDER DP DATRYS PROBLEMAU DA DULL ARHOLIAD

DP **1** Enrhifwch bob un o'r canlynol.

a $2 \times 2 \times 2 \times 3 \times 3 \times 5$

b $3 \times 3 \times 3 \times 5$

DP **2** Ysgrifennwch bob un o'r rhifau canlynol fel lluoswm ei ffactorau cysefin ar ffurf indecs.

a 80

b 120

c 400

YS **3** Cyfrifwch werth x ac y.

a $2^3 \times 2^x \times 5^2 = 800$

b $3^5 \times 2^y \times 7^2 = 95256$

DH **4** Ysgrifennwch y canlynol fel lluoswm ffactorau cysefin ar ffurf indecs.

a 1250

b 2300

c 21 609

YS **5** Mae Gwen a Megan yn beicio o amgylch trac rasio. Mae pob lap yn cymryd 45 eiliad i Gwen. Mae pob lap yn cymryd 50 eiliad i Megan. Mae Gwen a Megan yn dechrau beicio gyda'i gilydd ar y llinell gychwyn.

Sawl lap y tu ôl i Gwen fydd Megan pan fyddan nhw gyda'i gilydd eto ar y llinell gychwyn? Rhaid i chi ddangos eich gwaith cyfrifo.

YS **6** Ysgrifennwch 4 miliwn gan ddefnyddio lluosymiau ffactorau cysefin a ffurf indecs.

DA **7** Beth yw'r rhif lleiaf mae'n rhaid ei luosi â $2^3 \times 3^5 \times 7$ i roi rhif sgwâr?

DA **8** Eglurwch, gan ddefnyddio ffactorau cysefin mewn nodiant indecs, pam nad ydy 300 yn rhif sgwâr. Rhaid i chi ddangos eich gwaith cyfrifo.

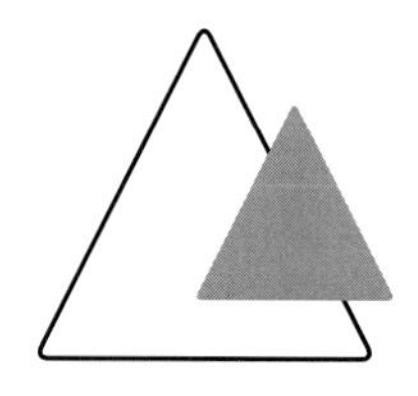

Algebra Llinyn 1 Dechrau algebra Uned 4 Gweithio gyda fformiwlâu

YS – YMARFER SGILIAU DH – DATBLYGU HYDER DP – DATRYS PROBLEMAU DA – DULL ARHOLIAD

YS **1** Copïwch a chwblhewch y tabl ar gyfer y peiriant rhifau hwn.

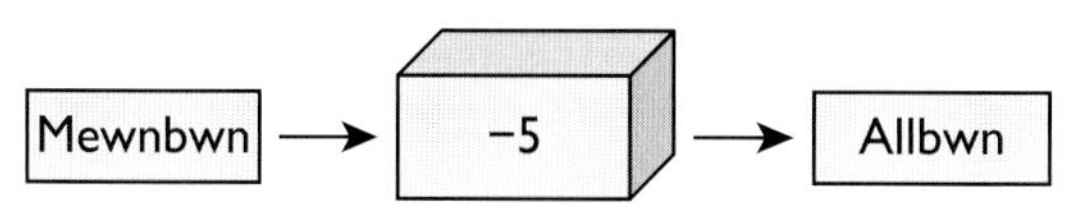

	Mewnbwn	Allbwn
a	20	
b		12
c	2	
ch		−7
d	n	
dd		p

YS **2** Copïwch a chwblhewch y tabl ar gyfer y peiriant rhifau hwn.

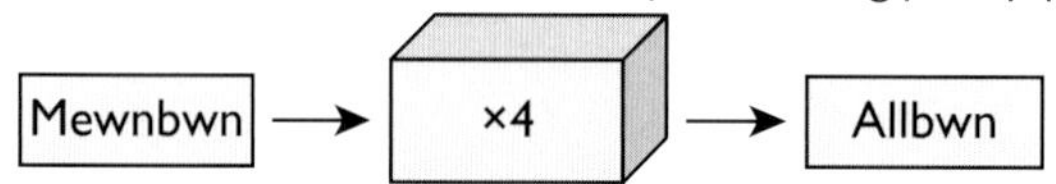

	Mewnbwn	Allbwn
a	3	
b		56
c	0.5	
ch		17
d	m	
dd		q

DH **3** Mae Angus yn meddwl am rif. Mae e'n lluosi'r rhif â 5. Yna mae e'n adio 3.

a Cyfrifwch y canlyniad os yw Angus wedi meddwl am y rhif

i 2

ii 10

iii n.

b Cyfrifwch y rhif mae Angus yn meddwl amdano os yw'r canlyniad yn

i 38

ii 3

iii p.

DH DP DA **4** £1 = €1.40 a £1 = $1.60 yw'r cyfraddau cyfnewid i bunnoedd ar gyfer yr ewro a doler UDA.

a Newidiwch

i £50 yn ewros

ii $50 yn bunnoedd

iii €50 yn ddoleri UDA.

b Mae sbectol haul yn Nulyn yn costio €24.50. Mae'r un sbectol haul yn Florida yn costio $30. Cyfrifwch y gwahaniaeth yng nghost y sbectol haul.

DH **5** Dyma reol i newid maint mewn litrau i faint mewn peintiau.

Lluosi nifer y litrau ag 1.75 i gael nifer y peintiau.

a Newidiwch 40 litr yn beintiau.

b Newidiwch 1050 galwyn yn litrau. 1 galwyn = 8 peint.

DH DP DA **6** $A = \frac{su}{2}$ yw'r fformiwla i ddarganfod arwynebedd triongl, lle mae'r sail yn s a'r uchder perpendicwlar yn u.

a **i** Darganfyddwch A pan mae $s = 5$ a $u = 7$.

ii Darganfyddwch s pan mae $A = 54$ a $u = 9$.

b Mae arwynebedd sgwâr yr un peth ag arwynebedd triongl sydd â'i sail yn 25 a'i uchder yn 8. Beth yw hyd pob un o ochrau'r sgwâr?

DP DA **7** Mae Fflur yn llogi car. Mae'r gost £C, am logi'r car am n diwrnod, mewn dau garej gwahanol, yn cael ei dangos isod.

Bill's Autos	***Carmart***
$C = 11n + 60$	$C = 20n$

a Os yw Fflur yn llogi car am 8 diwrnod, dangoswch mai *Bill's Autos* yw'r rhataf o'r ddau garej.

b Am faint o ddiwrnodau byddai'n rhaid i Fflur logi'r car er mwyn i *Carmart* fod y garej rhataf?

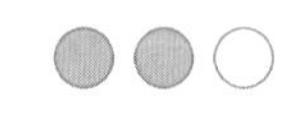

DH DA **8** Mae $P = 1.5x + 2y$ yn fformiwla i gyfrifo cyfanswm y gost £P am x cwpanaid o de ac y cwpanaid o goffi.

a Cyfrifwch gost 3 chwpanaid o de a 5 cwpanaid o goffi.

b Mae Peter yn prynu 6 chwpanaid o de a rhai cwpaneidiau o goffi. Cyfrifwch nifer y cwpaneidiau o goffi os yw cyfanswm y gost yn £15.

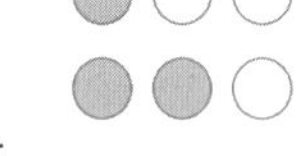

DP DA **9** Dyma fformiwla i newid graddau canradd (Celsius), C, yn raddau Fahrenheit, F.

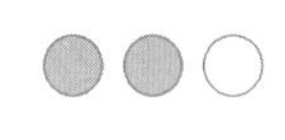

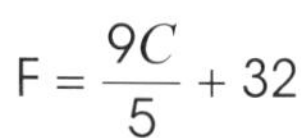

$$F = \frac{9C}{5} + 32$$

a Ar 1 Awst, y tymheredd yn Efrog Newydd oedd 79 °F.
Ar 1 Awst, y tymheredd yn Barcelona oedd 25 °C.
Ym mha ddinas roedd y tymheredd uchaf?

b Dangoswch fod −20 °C yn dymheredd uwch na −5 °F.

c Cyfrifwch y gwahaniaeth rhwng 30°C a 100°F.

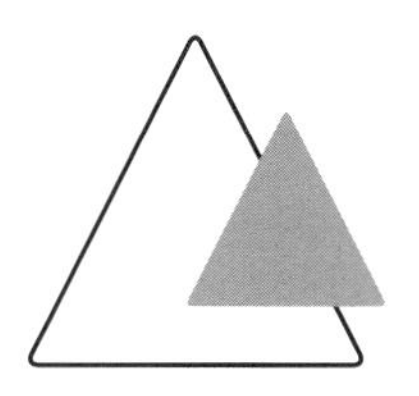

Algebra Llinyn 1 Dechrau algebra Uned 5 Llunio a datrys hafaliadau syml

YS – YMARFER SGILIAU   DH – DATBLYGU HYDER   DP – DATRYS PROBLEMAU   DA – DULL ARHOLIAD

YS **1** Datryswch yr hafaliadau.

a $a + 11 = 18$

b $b - 3 = 9$

c $5c = 65$

ch $7 = \frac{d}{4}$

YS **2** Datryswch yr hafaliadau.

a $3x - 2 = 13$

b $5 - 4y = 17$

c $2z + 15 = 7z + 9$

DH **3** Pa un o'r hafaliadau canlynol sydd heb y datrysiad $x = 3$?

a $x + 5 = 8$

b $7 - 2x = 1$

c $\frac{10x}{6} = 5$

ch $1 - x = 4$

d $2x - 5 = x - 2$

DH DA **4** Mae Jen yn x mlwydd oed. Mae Mary yn ddwywaith oedran Jen. Mae Rafa 5 mlynedd yn hŷn na Jen. Swm eu hoedrannau yw 69 mlynedd. Beth fydd oedran Rafa ymhen 10 mlynedd?

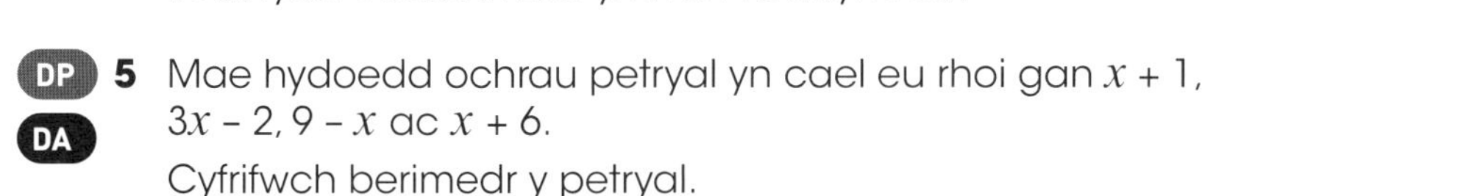

DP DA **5** Mae hydoedd ochrau petryal yn cael eu rhoi gan $x + 1$, $3x - 2$, $9 - x$ ac $x + 6$.
Cyfrifwch berimedr y petryal.

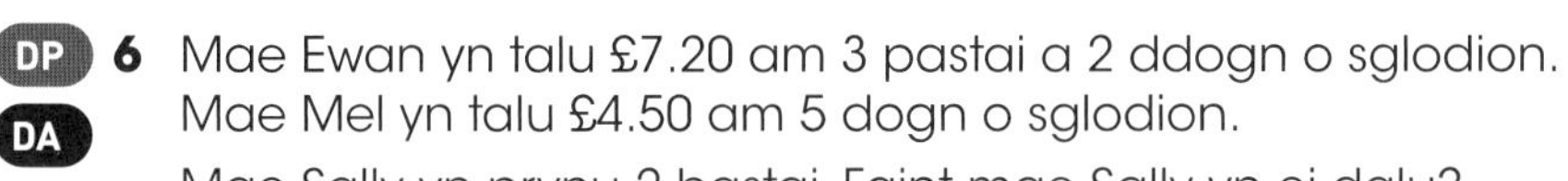

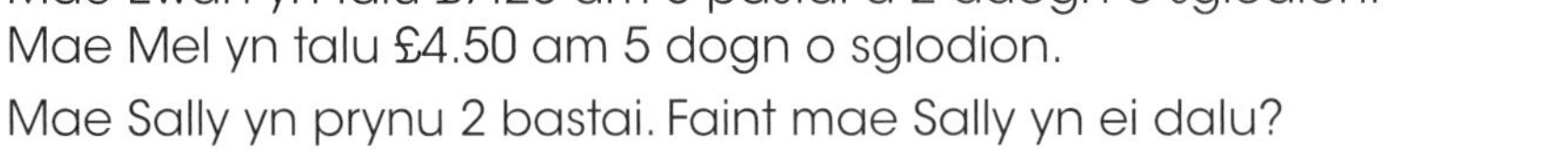

DP DA **6** Mae Ewan yn talu £7.20 am 3 pastai a 2 ddogn o sglodion.
Mae Mel yn talu £4.50 am 5 dogn o sglodion.
Mae Sally yn prynu 2 bastai. Faint mae Sally yn ei dalu?

DP DA **7** Triongl isosgeles yw ABC. Dangoswch mai'r gwerth mwyaf ar gyfer perimedr y triongl yw 32.5.

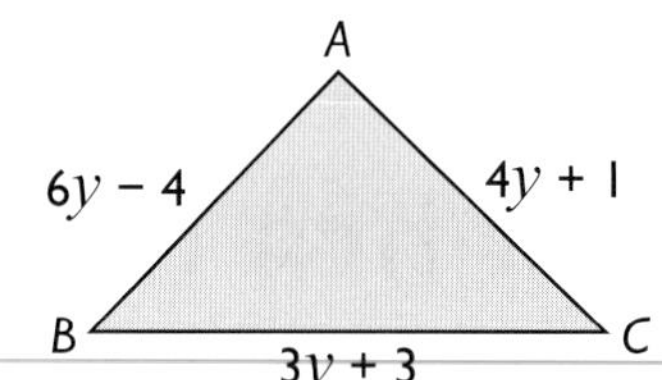

DP DA **8** Cyfrifwch faint yr ongl fwyaf.

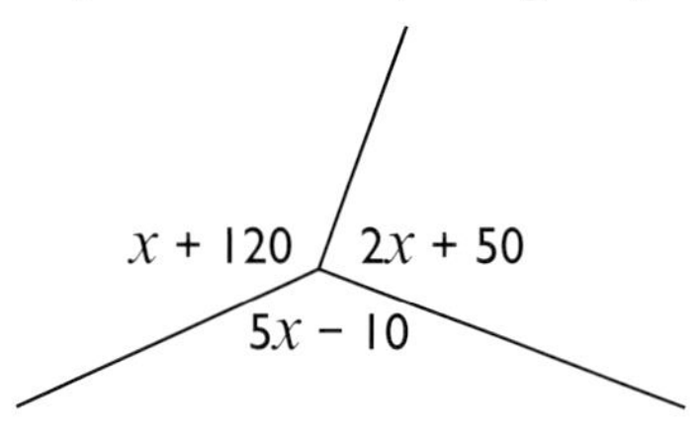

DP DA **9** Mae Tom, Lucy a Sadiq yn rhannu'r gyrru ar daith o 145 o filltiroedd. Mae Tom yn gyrru x milltir. Mae Lucy yn gyrru dair gwaith mor bell â Tom. Mae Sadiq yn gyrru 40 milltir yn fwy na Lucy.

Faint o filltiroedd mae pob un yn gyrru?

DP DA **10** Mae Ceri yn meddwl am rif. Mae hi'n lluosi ei rhif â 2 ac yna'n adio 3. Mae Simon yn meddwl am rif. Mae e'n lluosi ei rif â 3 ac yna'n tynnu 2. Mae Ceri a Simon yn meddwl am yr un rhif.

Beth yw'r rhif gwnaeth y ddau feddwl amdano?

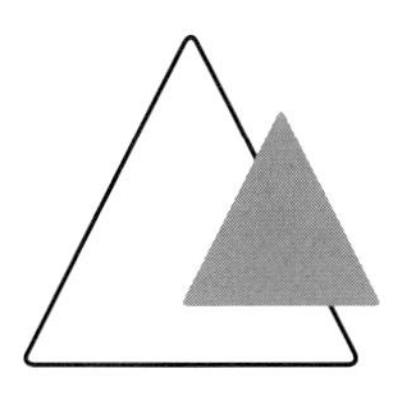

Algebra Llinyn 1 Dechrau algebra Uned 6 Defnyddio cromfachau

DH DATBLYGU HYDER

DP DATRYS PROBLEMAU

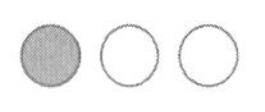

YS **1** **a** Ehangwch

i $4(3m + 5)$

ii $7(h - 3k)$.

b Ffactoriwch

i $12x - 8y$

ii $6z + 6$.

YS DA **2** Mae sudd oren yn costio £x am bob gwydraid. Mae cola yn costio £y am bob gwydraid. Mae brechdanau ham yn costio £a yr un. Mae brechdanau caws yn costio £b yr un. Mae brechdanau salad yn costio £c yr un.

a Mae Sally, James a Hannah yn cael sudd oren a brechdan gaws yr un. Mae Gethin a Sion yn cael cola a brechdan salad yr un. Ysgrifennwch fynegiad algebraidd ar gyfer cyfanswm y gost.

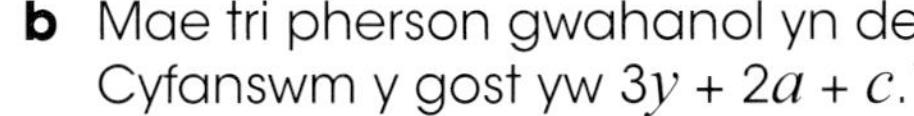

b Mae tri pherson gwahanol yn dewis diod a brechdan yr un. Cyfanswm y gost yw $3y + 2a + c$. Ysgrifennwch beth gafodd pob un.

DH DA **3** Ysgrifennwch fynegiad ar gyfer

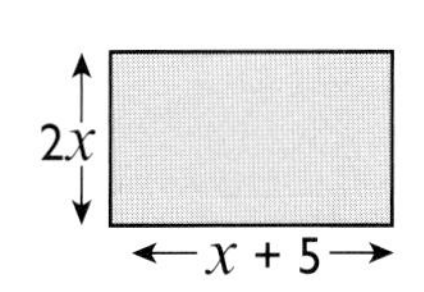

a perimedr y petryal hwn

b arwynebedd y petryal hwn.

Rhowch eich atebion ar eu ffurf symlaf.

YS **4** **a** Ehangwch

i $3(b - 1) + 2(3 - b)$

ii $5(a + 2) - 3(1 - a)$

b Ffactoriwch

i $6p^2 - 10p$

ii $3c^2d + 9cd^2$.

5 Mae Ella a Liam yn ehangu $2x(3x - 4)$.

DA

Ysgrifennodd Ella: $2x(3x - 4) = 6x^2 - 4$.

Ysgrifennodd Liam: $2x(3x - 4) = 6x - 8x = -2x$.

a Eglurwch y camgymeriad wnaeth Ella a'r camgymeriad wnaeth Liam.

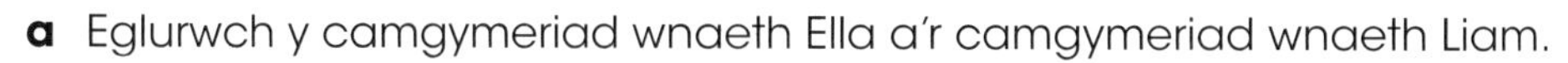

b Ehangwch $2x(3x - 4)$.

6 Mae CA, AB a BD yn dair o ochrau pedrochr sydd â'u hyd yn $(x + 2)$ cm. Mae hyd y bedwaredd ochr, X, ddwywaith cymaint â hyd un o'r tair ochr arall.

Dangoswch fod perimedr y pedrochr ABCD yn gallu cael ei ysgrifennu fel $5x + 10$.

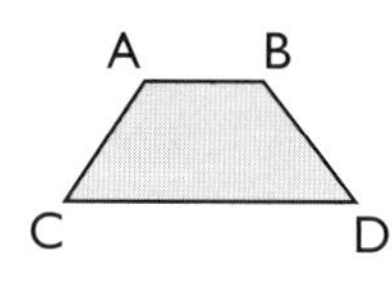

DP DA

7 Mae Colin yn n mlwydd oed. Mae Della 4 blynedd yn hŷn na Colin. Mae Ezra yn ddwyaith oedran Della.

Dangoswch fod swm eu hoedrannau yn gallu cael ei rannu â 4.

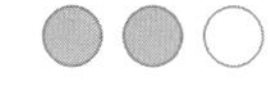

DP DA

8 Cost llogi car yw £C y dydd am y 4 diwrnod cyntaf. Y gost yw £$(C - 5)$ y dydd am bob diwrnod ychwanegol. Mae Steve yn llogi car am 10 diwrnod.

a Ysgrifennwch fynegiad, yn nhermau C, ar gyfer y cyfanswm mae'n rhaid i Steve ei dalu. Rhowch eich ateb ar ei ffurf symlaf.

Mae Anne yn talu £$4(3C - 10)$ am logi car.

b Am sawl diwrnod gwnaeth Anne logi car?

DP DA

9 Mae'r diagram yn dangos llwybr o amgylch tair o ochrau lawnt mewn gardd. Lled y llwybr yw x metr. Mae'r ardd ar siâp petryal ac yn mesur 20 m wrth 12 m.

Darganfyddwch, yn nhermau x, berimedr y lawnt. Rhowch eich ateb ar ei ffurf symlaf.

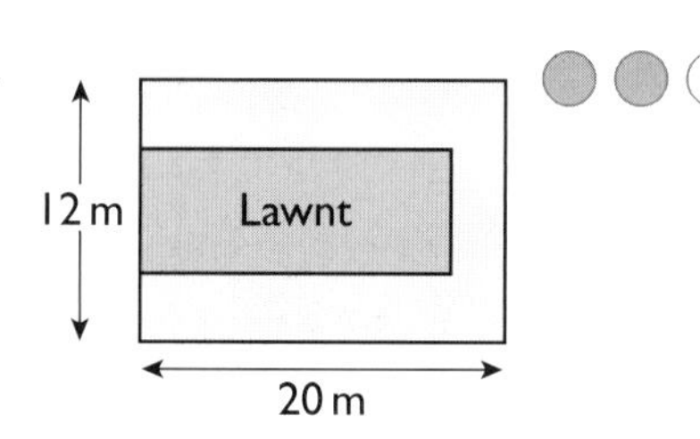

10 Mae Glenda yn meddwl am rif cyfan. Mae hi'n adio 4 at ei rhif ac yna'n lluosi'r canlyniad â 5. Mae Isaac yn meddwl am rif cyfan. Mae e'n tynnu 3 o'i rif ac yna'n lluosi'r canlyniad ag 8.

Dangoswch nad ydy hi'n bosibl bod Glenda ac Isaac wedi meddwl am yr un rhif.

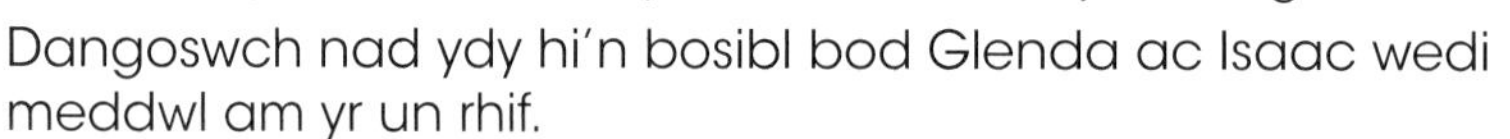

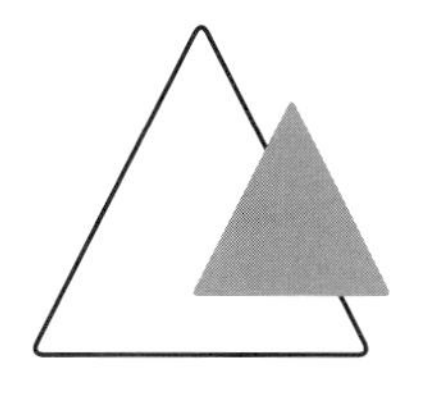

Algebra Llinyn 1 Dechrau algebra Uned 7 Gweithio gyda hafaliadau mwy cymhleth

YS YMARFER SGILIAU · DH DATBLYGU HYDER · DP DATRYS PROBLEMAU · DA DULL ARHOLIAD

DP **1** Datryswch yr hafaliadau canlynol.

a $6t = 120$

b $3x + 4 = 19$

c $11 = 3 + \frac{1}{2}q$

DP **2** Datryswch yr hafaliadau canlynol.

a $5a + 2 = 3a + 14$

b $6y - 3 = 3y + 30$

c $7f - 4 = 3f - 16$

DH **3** Mae rhywun wedi gofyn i Huw ddatrys $3.2g - 4.1 = 1.4g + 12.1$.

a Eglurwch pam mae'n ddefnyddiol lluosi'r cyfan â 10 cyn ystyried datrys yr hafaliad hwn.

b Datryswch yr hafaliad i Huw. Rhaid i chi ddangos eich gwaith cyfrifo.

DH **4** Datryswch bob un o'r hafaliadau canlynol.

a $1\frac{1}{2}h + \frac{3}{4} = \frac{1}{2}h + \frac{7}{8}$

b $2\frac{1}{2}a - 5\frac{1}{2} = 2a + 7\frac{3}{4}$

YS **5** Rydw i'n meddwl am rif, yna'n ei ddyblu ac yn tynnu 3. Fy ateb yw 19.

a Ysgrifennwch y wybodaeth hon fel hafaliad.

b Pa rif gwnes i feddwl amdano?

YS **6** Swm n, $n + 3$ a $2n - 5$ yw 30.

a Ysgrifennwch y wybodaeth hon fel hafaliad.

b Datryswch eich hafaliad i ddarganfod gwerth n.

DA **7** Rydw i'n meddwl am rif, x, yna'n lluosi â 6, ac wedyn rydw i'n tynnu 9. Fy ateb yw 51.
Ysgrifennwch hafaliad yn nhermau x a datryswch ef.

DA **8** Mae dwy ongl $4f°$ a $5f°$ yn gwneud llinell syth.
Ysgrifennwch hafaliad a datryswch ef i ddarganfod f.

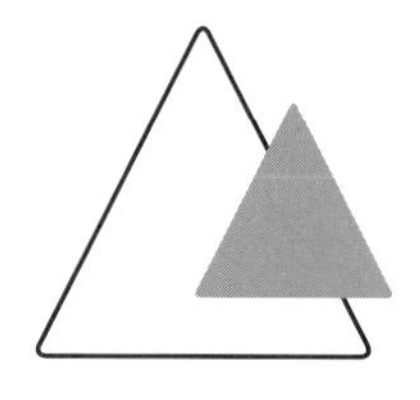

Algebra Llinyn 1 Dechrau algebra Uned 8 Datrys hafaliadau sydd â chromfachau

 DH — DATBLYGU HYDER  

DP **1** Datryswch yr hafaliadau canlynol.

a $5(3x + 4) = 332$

b $10(2g - 7) = 380$

DP **2** Datryswch yr hafaliadau canlynol, gan ddangos pob cam o'ch gwaith cyfrifo.

a $5(2m - 3) = 3(2m + 4)$

b $7(n - 8) = 2(2n + 9)$

DH **3** Mae Yolanda yn meddwl am rif. Mae hi'n adio 4 at ei rhif ac yna'n lluosi'r canlyniad â 5. Ei hateb yw 60.

Ysgrifennwch hafaliad a datryswch ef i ddarganfod y rhif y meddyliodd amdano.

DH **4** Ehangwch y cromfachau canlynol a symleiddiwch.

a $\frac{1}{2}(6m + 8)$

b $\frac{3}{4}(8n + 16)$

YS **5** Mae Anwen yn rhedeg canolfan achub anifeiliaid. Mae ganddi x o gathod, $5x$ o gŵn a dwywaith cymaint o gwningod ag sydd ganddi o gathod. Mae gan Anwen 88 anifail.

Faint o gŵn sydd ganddi? Dangoswch eich gwaith cyfrifo drwy ysgrifennu hafaliad a'i ddatrys.

YS **6** Symleiddiwch y canlynol.

a $6 \times \frac{1}{3}(4x + 7)$

b $\frac{1}{3} \times 9(2x - 5)$

DA **7** Mae Ben yn rhoi tair ongl at ei gilydd i ffurfio llinell syth. Yr ongl gyntaf yw $2p°$, yr ail ongl yw $4p°$ a'r drydedd ongl yw $2(p + 3)°$.

a Ysgrifennwch hafaliad a datryswch ef.

b Ysgrifennwch feintiau'r tair ongl.

DA **8** Datryswch $3(5x + 6) = 4(2x + 7)$. Dangoswch eich holl waith cyfrifo. Ysgrifennwch eich ateb fel rhif cymysg.

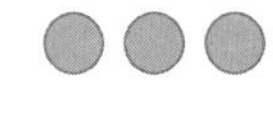

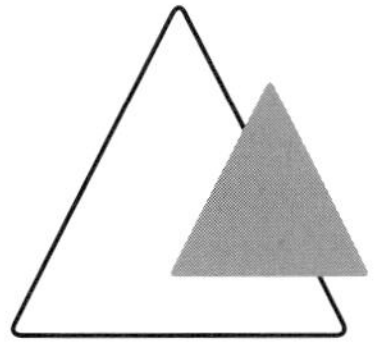

Algebra Llinyn 2 Dilyniannau
Uned 3 Dilyniannau llinol

YS – YMARFER SGILIAU DH – DATBLYGU HYDER DP – DATRYS PROBLEMAU DA – DULL ARHOLIAD

DH DA **1** Dyma bedwar term cyntaf dilyniant.

2 7 12 17

Dyma bedwar term cyntaf dilyniant arall.

4 7 10 13

Mae'r rhif 7 yn y ddau ddilyniant.

a Darganfyddwch y ddau rif nesaf sydd yn y dilyniant cyntaf a hefyd yn yr ail ddilyniant.

Mae John yn dweud bod y rhif 202 yn y ddau ddilyniant.

b Ydy John yn iawn?

DH DA **2** Dyma Batrwm rhif 3 a Phatrwm rhif 4 mewn dilyniant o batrymau.

Patrwm rhif 3 Patrwm rhif 4

a Lluniadwch Batrwm rhif 1 a Phatrwm rhif 2.

b Darganfyddwch y rhifau coll yn y tabl ar gyfer y dilyniant hwn o batrymau.

Rhif y patrwm	1	2	3	4	5	10
Nifer y dotiau			8	11		

3 Dyma 2il derm, 4ydd term a 5ed term dilyniant.

___ 15 ___ 27 33

DH **a** Ysgrifennwch y term 1af a'r 3ydd term yn y dilyniant hwn.

DA **b** Cyfrifwch luoswm 6ed a 7fed term y dilyniant hwn.

Mae Ruth yn dweud bod pob term yn y dilyniant hwn yn odrif.

DP **c** Dangoswch fod Ruth yn iawn.

DP DA **4** Mae'r angor ar gwch yn cael ei ostwng 3 metr gyda phob tro o'r carn. Mae'r angor 5 metr yn is nag arwyneb y môr yn barod.

a Sawl metr yn is nag arwyneb y môr fydd yr angor ar ôl n tro o'r carn?

Mae'r angor yn taro gwaelod y môr ar ôl 64 tro o'r carn.

b Pa mor ddwfn yw'r môr?

DH DA **5** Darganfyddwch y rhifau coll yn y tabl ar gyfer y patrwm hwn o sêr wedi'u gwneud gyda choesau matsys.

Nifer y sêr	1	2	3	4	8	20	n
Nifer y matsys	10	19	28				

DP DA **6** Mae peiriant yn gwneud darnau ar gyfer ffôn symudol. Mae'r rhestr yn dangos nifer y darnau sydd wedi'u gwneud am 1 p.m. a phob 5 munud ar ôl 1 p.m.

240 265 290 315 340

Faint o ddarnau fydd wedi'u gwneud erbyn 2.30 p.m?

7 Dyma bedwar term cyntaf dilyniant.

150 138 126 114

YS **a** Ysgrifennwch y ddau derm nesaf yn y dilyniant hwn.

DP **b** Ym mha safle mae'r rhif negatif cyntaf yn y dilyniant hwn?

DA **c** Dangoswch fod $n$fed term y dilyniant hwn yn gallu cael ei ysgrifennu ar y ffurf $6(a + bn)$.

DP DA **8** Dyma bump term cyntaf dilyniant.

3 7 11 15 19

a **i** Ysgrifennwch y ddau derm nesaf yn y dilyniant hwn.

ii Eglurwch sut gwnaethoch chi gael eich ateb i ran **i**.

b Darganfyddwch 15fed term y dilyniant hwn.

c Ysgrifennwch, yn nhermau n, yr $n$fed term yn y dilyniant hwn.

DP DA **9** $n$fed term dilyniant A yw $2n + 1$. $n$fed term dilyniant B yw $4n - 3$.

a Faint o'r 10 rhif cyntaf yn nilyniant A sy'n rhifau cysefin?

b Dangoswch fod swm yr holl rifau cyfatebol ym mhob dilyniant yn eilrif bob tro.

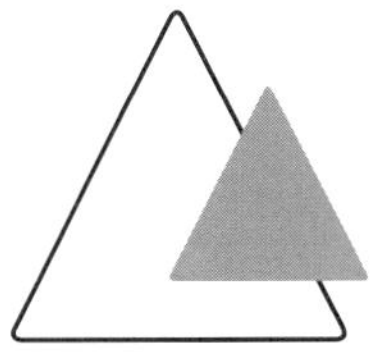

Algebra Llinyn 2 Dilyniannau
Uned 4 Dilyniannau arbennig

YS — YMARFER SGILIAU DH — DATBLYGU HYDER DP — DATRYS PROBLEMAU DA — DULL ARHOLIAD

DH **1** Dyma wyth term cyntaf dilyniant.

0 2 2 4 6 10 16 26

a Disgrifiwch y rheol ar gyfer cyfrifo'r termau yn y dilyniant hwn.

b Mae Johan yn dweud: 'Rhaid i bob term yn y dilyniant hwn fod yn eilrif.' Eglurwch pam mae Johan yn iawn.

c Beth sy'n arbennig am y rhifau hyn?

YS DA **2** Dyma'r tri phatrwm cyntaf mewn dilyniant o batrymau.

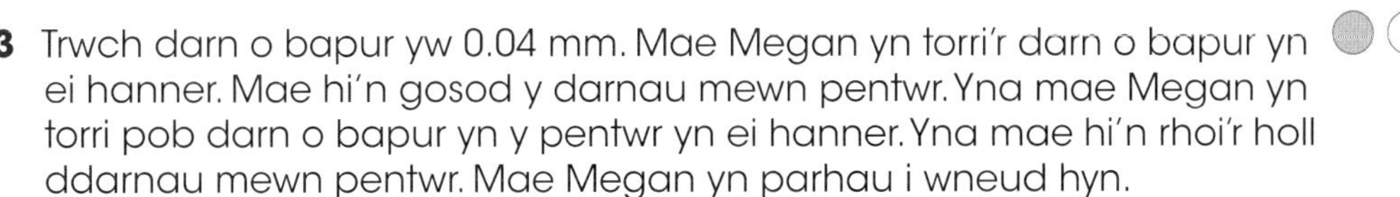

Ysgrifennwch y 5 term cyntaf yn y dilyniant sy'n cael ei ffurfio gan y llinellau fertigol.

YS DA **3** Trwch darn o bapur yw 0.04 mm. Mae Megan yn torri'r darn o bapur yn ei hanner. Mae hi'n gosod y darnau mewn pentwr. Yna mae Megan yn torri pob darn o bapur yn y pentwr yn ei hanner. Yna mae hi'n rhoi'r holl ddarnau mewn pentwr. Mae Megan yn parhau i wneud hyn.

a Cyfrifwch uchder y pentwr ar ôl i Megan wneud hyn 5 gwaith.

b **i** Cyfrifwch uchder y pentwr ar ôl i Megan wneud hyn 20 gwaith.

ii Eglurwch pam nad ydy eich ateb i ran **i** yn gwneud synnwyr.

4 Dyma ddilyniant sydd wedi'i wneud o drionglau hafalochrog.

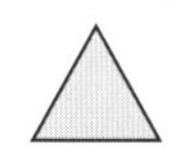

Mae patrwm 1 yn driongl hafalochrog $1 \times 1 \times 1$

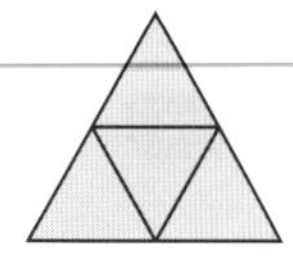

Mae patrwm 2 yn driongl hafalochrog $2 \times 2 \times 2$

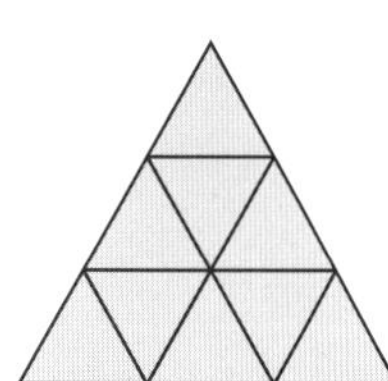

Mae patrwm 3 yn driongl hafalochrog $3 \times 3 \times 3$

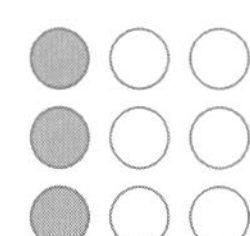

a Lluniadwch Batrwm 4 a disgrifiwch y triongl hafalochrog hwn.

b **i** Ysgrifennwch ddilyniant y trionglau llwyd.

ii Disgrifiwch y dilyniant hwn.

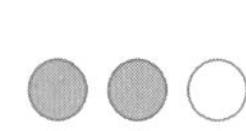

c **i** Sawl triongl sydd ym Mhatrwm 4? Dim ond y trionglau bach dylech chi eu cyfrif.

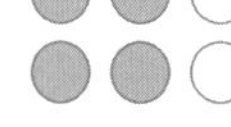

ii Ysgrifennwch fynegiad, yn nhermau n, ar gyfer nifer y trionglau llwyd ym Mhatrwm n.

5 Dyma ddilyniant o batrymau wedi'u gwneud gyda dotiau a llinellau syth.

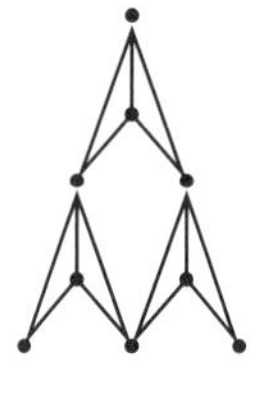
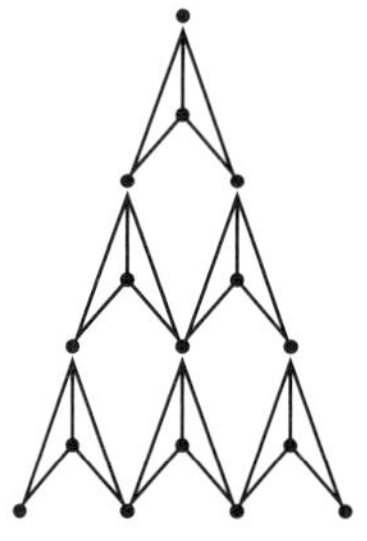

Patrwm 1 Patrwm 2 Patrwm 3

a Darganfyddwch y rhifau coll yn y tabl.

Rhif y patrwm	1	2	3	4	10
Nifer y dotiau	4	9			
Nifer y llinellau	5	15			
Nifer y trionglau	2	6			

b Ysgrifennwch, yn nhermau n, yr $n$fed term ar gyfer dilyniant y dotiau.

c **i** Dangoswch mai'r $n$fed term ar gyfer dilyniant y trionglau yw $n^2 + n$.

ii Defnyddiwch $n^2 + n$ i'ch helpu chi i ysgrifennu, yn nhermau n, yr $n$fed term ar gyfer dilyniant y llinellau.

6 Dyma dri therm cyntaf dilyniant.

1 3 7

Mae Alan yn dweud mai'r term nesaf yn y dilyniant hwn yw 13. Mae Becky yn dweud mai'r term nesaf yn y dilyniant hwn yw 15.

a Eglurwch sut gallai Alan **a hefyd** Becky fod yn iawn.

b **i** Ysgrifennwch 5ed term dilyniant Alan.

ii Ysgrifennwch 5ed term dilyniant Becky.

7 Dyma bedwar term cyntaf dilyniant.

16 8 4 2

Ysgrifennwch dri therm nesaf y dilyniant hwn.

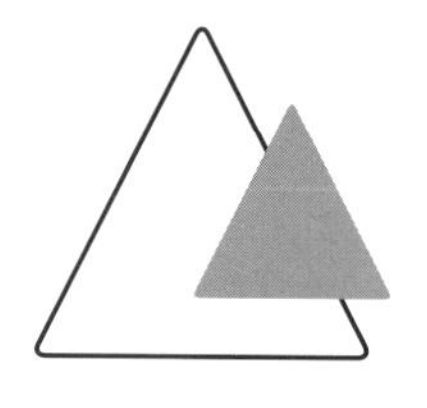

Algebra Llinyn 3 Ffwythiannau a graffiau Uned 1 Graffiau bywyd go iawn

YS — YMARFER SGILIAU   DH — DATBLYGU HYDER   DP — DATRYS PROBLEMAU   DA — DULL ARHOLIAD

YS DA **1** Mae Electra yn casglu gwybodaeth am bris un litr o betrol yn ystod cyfnod o 6 mis. Lluniadwch graff llinell i ddangos y wybodaeth hon.

Mis	Ion	Chwe	Maw	Ebr	Mai	Meh
Pris (ceiniogau)	112	115	117	115	116	118

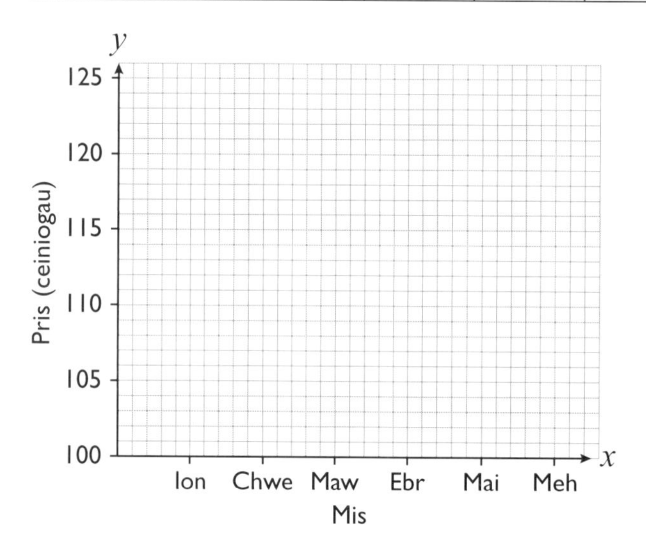

YS **2** Gallwch chi ddefnyddio'r graff hwn i newid rhwng pwysi a chilogramau. 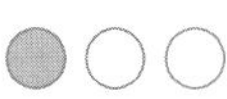

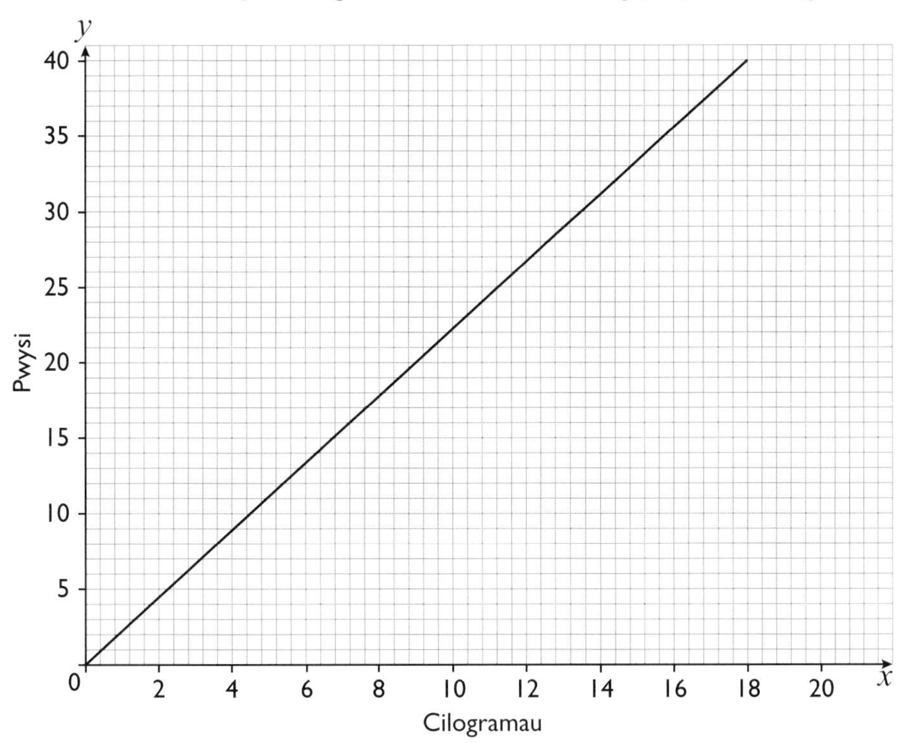

a Newidiwch 15 pwys yn gilogramau.

b Newidiwch 10 cilogram yn bwysi.

1 stôn = 14 pwys

DP **c** Pwysau James yw 12 stôn 12 pwys. Pwysau Iram yw 80 cilogram. Pwy sydd fwyaf trwm, James neu Iram?

DH **3** Cofnododd Dafydd y tymheredd ganol dydd bob dydd am wythnos. Mae'r diagram yn dangos rhywfaint o wybodaeth am ei ganlyniadau.

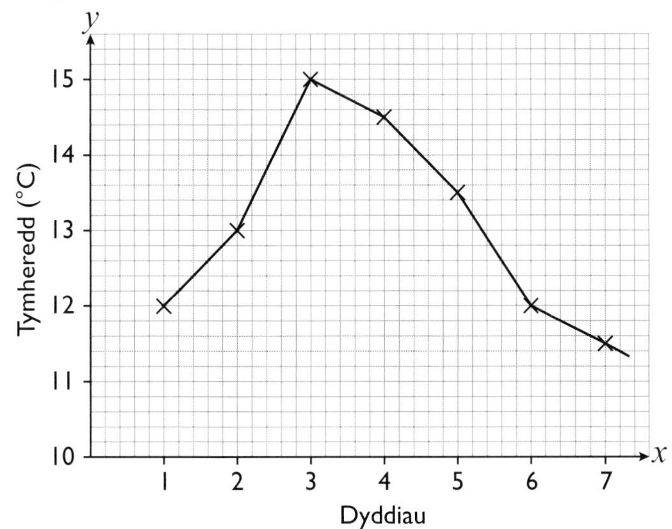

a Ysgrifennwch amrediad y tymereddau ganol dydd ar gyfer yr wythnos hon.

b Rhwng pa ddau ddiwrnod roedd y newid mwyaf yn y tymheredd?

c Cyfrifwch y tymheredd cyfartalog ar gyfer yr wythnos hon.

PB ES **4** Teithiodd Una 20 km o'i chartref i siop ddodrefn. Yna treuliodd hi rywfaint o amser yn y siop cyn mynd adref. Mae'r graff teithio hwn yn dangos rhan o'i thaith.

y
20
15
10
5
0
x
10:00 10:20 10:40 11:00 11:20 11:40 12:00
Pellter o'i chartref (km)
Adeg o'r dydd

a Ysgrifennwch bellter Una o'r siop ddodrefn am 10:20.

Gadawodd Una y siop am 11:10 i fynd adref. Ar y ffordd, am 11:30, arhosodd hi am 10 munud mewn garej. Roedd y garej 12 km o'i chartref. Cyrhaeddodd Una adref am 12:00.

b **i** Cyfrifwch fuanedd cyfartalog Una o'r garej i'w chartref.

ii Ar ba ran o'r daith gyfan gwnaeth Una deithio gyflymaf?

DP DA **5** Mae'r graff hwn yn gallu cael ei ddefnyddio i newid rhwng punnoedd (£) a doleri UDA ($).

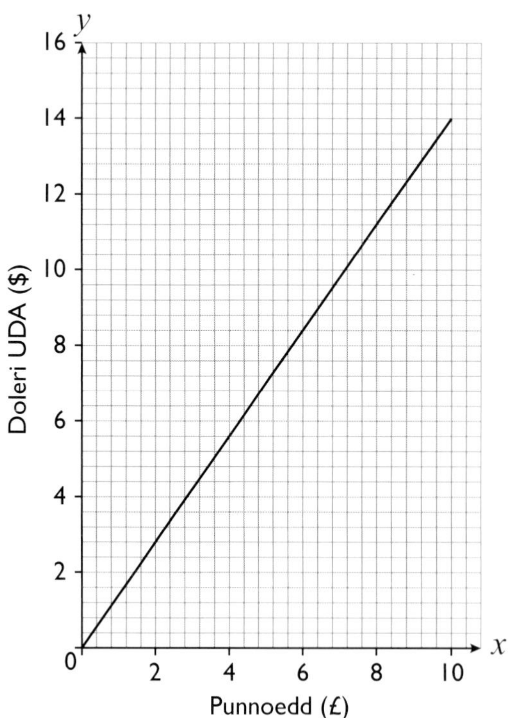

a Defnyddiwch y graff i newid £5 yn ddoleri UDA.

Mae gliniadur yn y DU yn costio £460. Mae'r un model yn UDA yn costio $720.

b Pa un yw'r lle rhataf i brynu'r gliniadur?

PB ES **6** Mae'r graff trawsnewid hwn yn gallu cael ei ddefnyddio i newid rhwng litrau a galwyni. Mae 8 peint mewn 1 galwyn.

Mae fferm laeth yn cynhyrchu 720 peint o laeth bob dydd. Mae'r ffermwr yn gwerthu'r llaeth am 32c y litr.

Am faint o arian mae'r ffermwr yn gwerthu ei laeth bob wythnos?

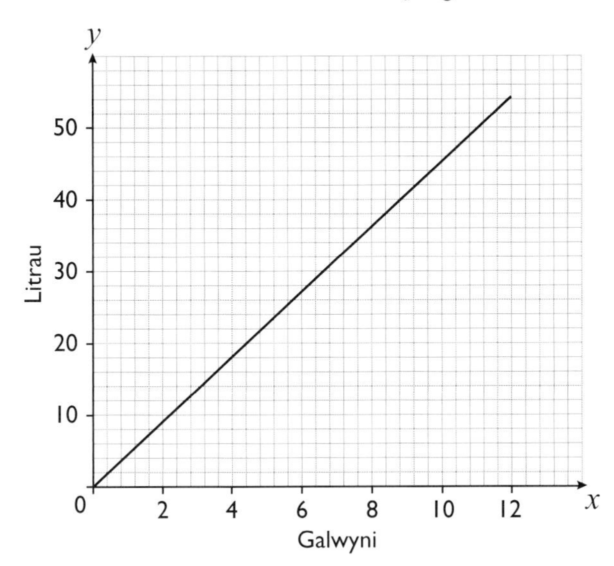

DH DA **7** Teithiodd Rosa o'i chartref i dŷ ei ffrind 40 km i ffwrdd. Arhosodd hi am rywfaint o amser yn nhŷ ei ffrind cyn mynd adref. Gadawodd Rosa ei chartref am 10:10. Teithiodd hi ar fuanedd cyfartalog o 80 km/awr. Arhosodd hi yn nhŷ ei ffrind am hanner awr. Cyrhaeddodd Rosa adref am 11:40.

Lluniadwch graff teithio i ddangos taith Rosa.

DP **8** Disgrifiwch sefyllfa allai gael ei chynrychioli gan y graff buanedd/amser hwn.

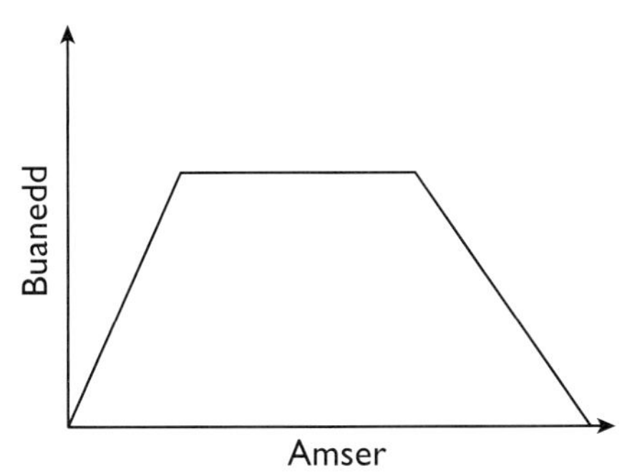

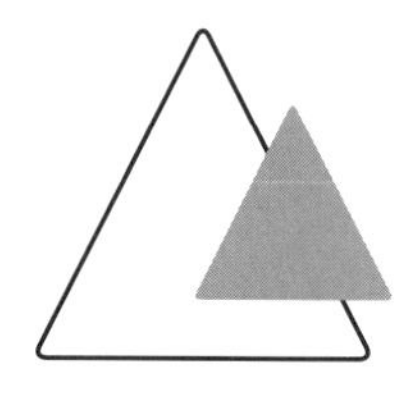

Algebra Llinyn 3 Ffwythiannau a graffiau Uned 2 Plotio graffiau ffwythiannau llinol

YS YMARFER SGILIAU | DH DATBLYGU HYDER | DP DATRYS PROBLEMAU | DA DULL ARHOLIAD

DH **1** Mae llaeth yn cael ei werthu am 90c y litr.

a Cyfrifwch y gwerthoedd coll yn y tabl hwn.

Nifer y litrau	1	2	5	10	20	50	100
Cost mewn £	0.90			9			90

b Lluniadwch graff i ddangos y wybodaeth hon am gost llaeth.

c Darganfyddwch gost 30 litr o laeth.

ch Faint o litrau o laeth sy'n gallu cael eu prynu am £20?

DH DA **2** Mae cwmni Lisa yn talu ei threuliau teithio am bob milltir mae hi'n teithio.

a Cyfrifwch y gwerthoedd coll yn y tabl hwn.

Milltiroedd wedi'u teithio	5	10	15	20	25	30	35	40
Treuliau (£)	4	8		16			28	

b Lluniadwch graff i ddangos y wybodaeth hon.

c Mae Lisa'n teithio 28 milltir. Cyfrifwch faint mae'r cwmni'n ei dalu iddi.

ch Talodd cwmni Lisa £60 iddi ar gyfer treuliau teithio. Faint o filltiroedd deithiodd Lisa?

DP DA **3** Dyma dabl o werthoedd ar gyfer $y = \frac{1}{2}x + 5$.

x	−2	−1	0	1	2	3	4
y		4.5	5				7

a Cwblhewch y tabl gwerthoedd.

b Gan ddefnyddio papur graff 2 mm, lluniadwch graff $y = \frac{1}{2}x + 5$.

Defnyddiwch werthoedd echelin-x o −2 i 4, a gwerthoedd echelin-y o −1 i 8.

DP DA **4** Mae'r rheol hon yn gallu cael ei defnyddio i gyfrifo'r amser, mewn eiliadau, mae'n ei gymryd i lwytho traciau cerddoriaeth i lawr.

Amser = 25 × nifer y traciau cerddoriaeth + 10

a Cyfrifwch y wybodaeth goll yn y tabl hwn o werthoedd.

Nifer y traciau	2	4	6		10	12
Amser (eiliadau)	60			210		

b Lluniadwch graff i ddangos yr amser mae'n ei gymryd i lwytho traciau cerddoriaeth i lawr.

c Faint o draciau sy'n gallu cael eu llwytho i lawr mewn 5 munud?

DP DA **5** Mae Vijay yn byw 3 cilometr o'i ysgol. Mae'r graff teithio yn dangos taith Vijay i'r ysgol un diwrnod.

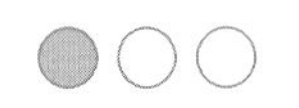

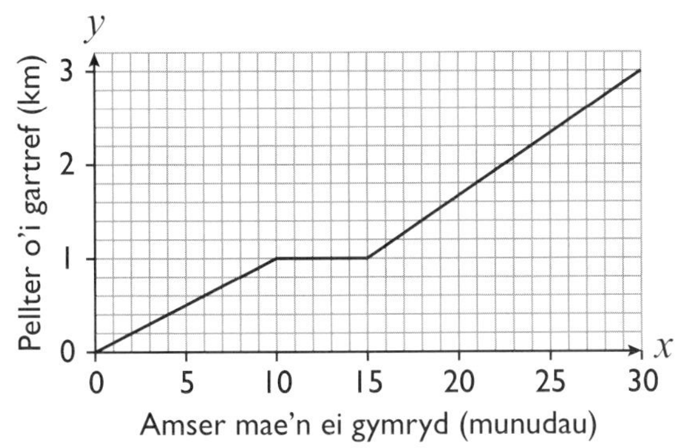

a Disgrifiwch y tri cham yn nhaith Vijay i'r ysgol.

Ar ddiwrnod arall, gadawodd Vijay ei gartref am 08:15. Am 08:32 arhosodd mewn siop i brynu diod. Mae'r siop 1.4 km o'r ysgol. Am 08:38 gadawodd e'r siop a pharhau i gerdded i'r ysgol. Cyrhaeddodd yr ysgol am 08:45.

b Lluniadwch graff teithio i ddangos ei daith.

DP DA **6** Dyma dabl o werthoedd ar gyfer $y = 3x + 4$.

x	-2	-1	0	1	2	3
y		1				13

a Cyfrifwch y gwerthoedd coll ar gyfer y tabl hwn.

b Defnyddiwch eich tabl i luniadu graff $y = 3x + 4$ o $x = -2$ i $x = 3$.

c Darganfyddwch werth x pan mae $y = 8$.

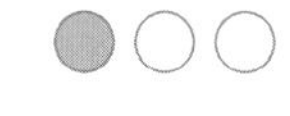

7 Mae Steffan yn mynd ar ei wyliau i Praha. Yr arian cyfred yn Praha yw'r koruna Tsiec (czk). Y gyfradd gyfnewid yw £1 = 30czk.

a Lluniadwch graff allai gael ei ddefnyddio i drawsnewid rhwng £ (punnoedd) a czk (koruna Tsiec).

Prynodd Steffan fag dillad yn Praha. Talodd ef 750czk am y bag dillad. Yn Llundain mae'r un model o fag dillad yn costio £34.

b Faint o arian arbedodd Steffan drwy brynu'r bag dillad yn Praha?

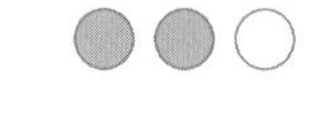

8 Dyma reol i gyfrifo cost argraffu gwahoddiadau yn *Printshop*, mewn punnoedd.

Cost (£C) = nifer y gwahoddiadau (n) × 1.25 + 4

a Ysgrifennwch fformiwla ar gyfer C yn nhermau n.

b Lluniadwch graff o C yn erbyn n.

Yn *Print-4-U*, y gost yw £20 am argraffu 12 gwahoddiad. Mae Martin eisiau cael 24 gwahoddiad wedi'u hargraffu.

c Pa siop sydd rataf i Martin brynu'r gwahoddiadau?

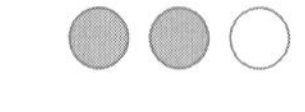

9 Mae Pat yn dosbarthu parseli. Mae'r tabl yn dangos cost dosbarthu parseli ar gyfer teithiau gwahanol.

Pellter mewn milltiroedd	10	20	30	40	50
Cost mewn £	20	30	40	50	60

a Lluniadwch graff i ddangos y wybodaeth hon.

Ar gyfer pob parsel mae Pat yn ei ddosbarthu mae tâl sefydlog ynghyd â thâl am bob milltir.

b Defnyddiwch eich graff i gyfrifo'r tâl sefydlog a'r tâl am bob milltir.

Mae Vanessa hefyd yn dosbarthu parseli. Ar gyfer pob parsel mae Vanessa yn ei ddosbarthu mae'n costio £1.50 am bob milltir. Does dim tâl sefydlog.

c Cymharwch gost cael parsel wedi'i ddosbarthu gan Pat gyda chost cael parsel wedi'i ddosbarthu gan Vanessa.

10 Lluniadwch graff $y = 2x + 3$ ar gyfer gwerthoedd x o $x = -3$ i $x = 1$.

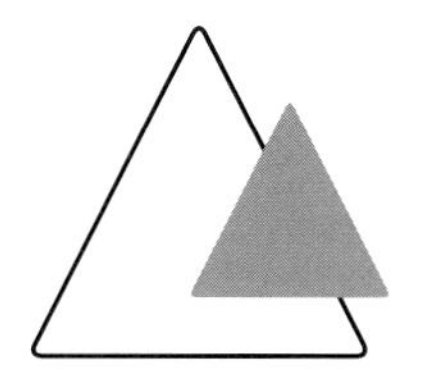

Geometreg a Mesurau Llinyn 1 Unedau a graddfeydd Uned 7 Trawsnewid yn fras rhwng unedau metrig ac imperial

YS – YMARFER SGILIAU DH – DATBLYGU HYDER DP – DATRYS PROBLEMAU DA – DULL ARHOLIAD

DP **1** Trawsnewidiwch y cyfeintiau canlynol yn litrau.

a 4 galwyn

b 9 galwyn

c 15 galwyn

DP **2** Trawsnewidiwch y pellterau canlynol.

a 5 modfedd yn cm

b 20 milltir yn km

c 1200 km yn filltiroedd

DH **3** Taldra Heddwen yw 163 cm. Taldra Linda yw 5 troedfedd 6 modfedd. Pwy yw'r talaf? Faint yn fwy tal yw hi? Rhowch eich ateb mewn centimetrau.

DH DA **4** Mae reid mewn ffair yn dweud, 'Taldra lleiaf: 4 troedfedd 10 modfedd.' Taldra Jac yw 142 cm. Ydy e'n gallu mynd ar y reid? Rhowch reswm dros eich ateb a dangoswch eich gwaith cyfrifo.

YS **5** Ddydd Llun, mae Tomos yn defnyddio 8 galwyn o danwydd, sy'n costio £1.15 y litr. Faint mae'r tanwydd ddefnyddiodd Tomos ddydd Llun yn ei gostio?

YS **6** Mae rhan o rysáit yn dweud, '5 owns blawd, 8 owns siwgr.' Trawsnewidiwch y rhain yn unedau metrig addas.

DA **7** Mae Lois yn gweld arwydd ffordd, 'terfyn buanedd 30 milltir yr awr', sy'n golygu 30 milltir mewn un awr. Sawl cilometr mewn un awr fyddai hyn?

DA **8** Mae petryal yn mesur $2\frac{1}{2}$ modfedd wrth $1\frac{1}{4}$ modfedd. Beth yw'r mesuriadau hyn mewn centimetrau?

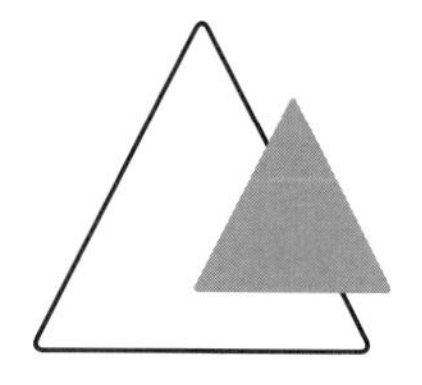

Geometreg a Mesurau
Llinyn 1 Unedau a graddfeydd
Uned 8 Cyfeiriannau

YS — YMARFER SGILIAU   DH — DATBLYGU HYDER   DP — DATRYS PROBLEMAU   DA — DULL ARHOLIAD

YS **1** Atebwch y canlynol.

a Ysgrifennwch gyfeiriant Rhydychen oddi wrth Gaerfaddon.

b Ysgrifennwch gyfeiriant Caerfaddon oddi wrth Rydychen.

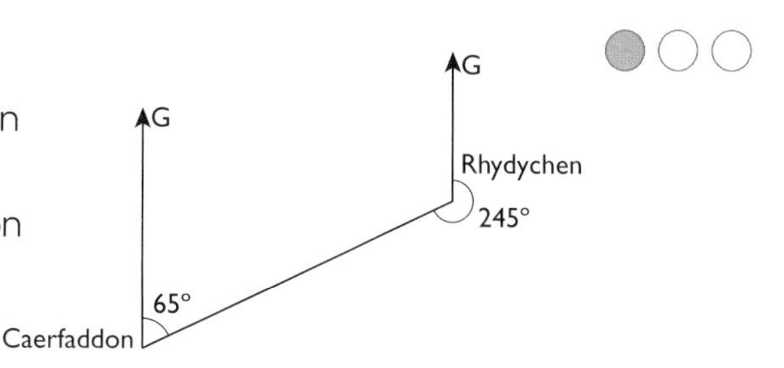

YS **2** **a** Ysgrifennwch gyfeiriant y cyfeiriadau cwmpawd canlynol.

i Gorllewin

ii De-Ddwyrain

b Ysgrifennwch y pwyntiau cwmpawd sydd â'r cyfeiriannau canlynol.

i 090°

ii 225°

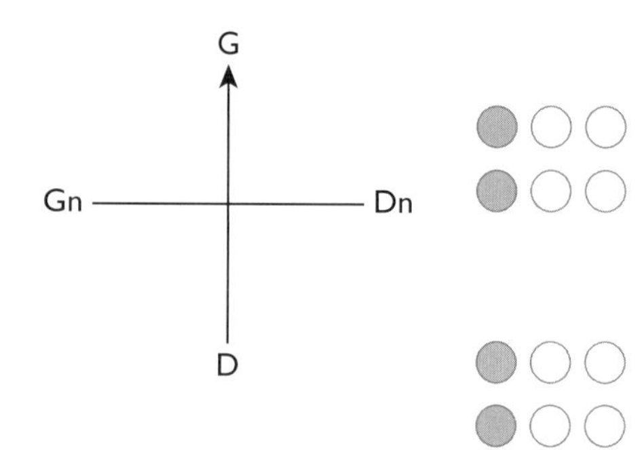

DH DA **3** Mae'r diagram yn dangos dwy orsaf gwylwyr y glannau, P a Q. Cyfeiriant Q oddi wrth P yw 080°. Mae cwch ym mhwynt B. Cyfeiriant B oddi wrth P yw 140°. Cyfeiriant B oddi wrth Q yw 240°.

Darganfyddwch yr ongl PBQ.

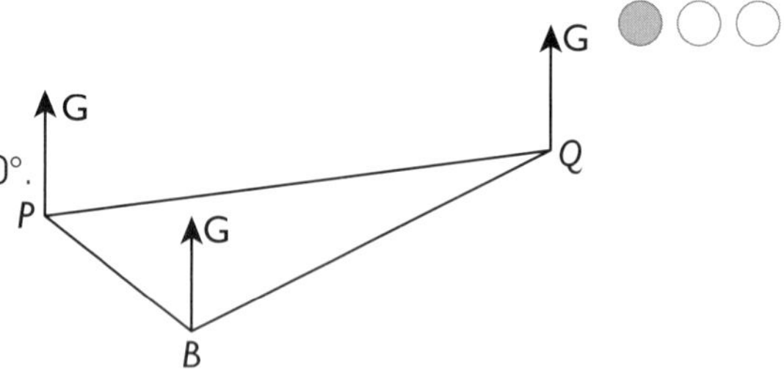

DP DA **4** Teithiodd awyren 60 km o A i B, yna 80 km o B i C, ac yna yn ôl o C i A. Cyfeiriant B oddi wrth A yw 120°. Cyfeiriant C oddi wrth B yw 270°.

a Gan ddefnyddio'r raddfa 1 cm yn cynrychioli 10 km, lluniadwch ddiagram manwl gywir i ddangos taith yr awyren.

b **i** Ar ba gyfeiriant mae'n rhaid i'r awyren deithio i fynd o C i A?

ii Beth yw'r pellter o C i A?

DH DA **5** Mae Ipswich ar gyfeiriant o 080° oddi wrth Sudbury.

a Beth yw cyfeiriant Sudbury oddi wrth Ipswich?

Mae Ipswich hefyd i'r Gogledd-Ddwyrain o Colchester.

b Darganfyddwch gyfeiriant Ipswich oddi wrth Colchester.

c Cyfrifwch ôl-gyfeiriant Colchester oddi wrth Ipswich.

DH **6** Mae'r diagram yn dangos llong, S, a'i safle oddi wrth ddau oleudy, P a Q.

Darganfyddwch gyfeiriant

a P oddi wrth Q

b S oddi wrth P

c Q oddi wrth P

ch P oddi wrth S.

Mae Q i'r De-Orllewin o S.

d Darganfyddwch gyfeiriant S oddi wrth Q.

DP DA **7** Mae Tegid yn hwylio ei gwch o Cromer ar gyfeiriant o 060° am 6 km. Yna mae'n newid ei gyfeiriad ac yn hwylio ar gyfeiriant o 150° am 8 km.

a Lluniadwch ddiagram manwl gywir i ddangos taith cwch Tegid. Defnyddiwch y raddfa 1 cm yn cynrychioli 1 km.

Yna mae Tegid yn teithio'n ôl i Cromer ar hyd llinell syth.

b Ar ba gyfeiriant mae Tegid yn teithio i fynd yn ôl i Cromer?

c Beth yw'r pellter cyfan mae e'n ei deithio?

DP DA **8** Mae pedwar bwi A, B, C a D yn cael eu gosod fel bod
B ar gyfeiriant o 60° oddi wrth A
C ar gyfeiriant o 105° oddi wrth A
C ar gyfeiriant o 150° oddi wrth B
A ar gyfeiriant o 330° oddi wrth D.
Eglurwch pam mae ABCD yn sgwâr.

DP DA **9** Mae awyren yn teithio i'r De ar 200 milltir yr awr. Am 10 a.m. cyfeiriant ynys oddi wrth yr awyren yw 120°. Am 10.30 a.m. cyfeiriant yr ynys oddi wrth yr awyren yw 060°. Fydd yr awyren ddim yn mynd o fewn 75 milltir i'r ynys. Eglurwch pam.

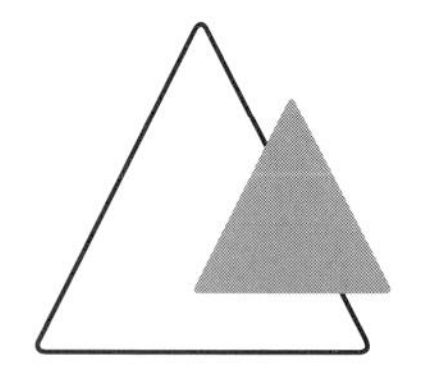

Geometreg a Mesurau
Llinyn 1 Unedau a graddfeydd
Uned 9 Lluniadu wrth raddfa

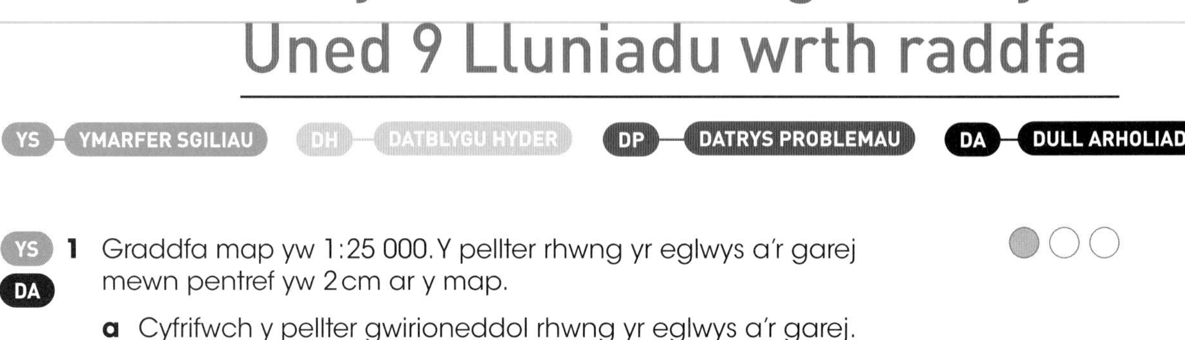

YS DA **1** Graddfa map yw 1:25 000. Y pellter rhwng yr eglwys a'r garej mewn pentref yw 2 cm ar y map.

a Cyfrifwch y pellter gwirioneddol rhwng yr eglwys a'r garej.

Y pellter gwirioneddol rhwng dwy orsaf betrol yw 4 km.

b Beth yw'r pellter rhwng y ddwy orsaf betrol ar y map?

DH **2** Mae Rosie yn dilyn y cyfarwyddiadau canlynol pan fydd hi'n cymryd rhan mewn cystadleuaeth gyfeiriannu.

Dechrau ger cloc y dref a cherdded i'r Gogledd am 200 metr.
Cerdded i'r Dwyrain am 150 metr ac yna i'r De am 100 metr.

a Defnyddiwch y raddfa 1 cm yn cynrychioli 20 m i luniadu lluniad wrth raddfa o daith gerdded Rosie.

b Pa mor bell yw Rosie o'i man cychwyn?

DH DA **3** Mae Megan eisiau darganfod hyd to goleddol ymyl ei sied. All hi ddim cyrraedd rhan uchaf y sied ac felly mae hi'n lluniadu lluniad wrth raddfa o ymyl y sied.

Darganfyddwch hyd y to goleddol.

2.4 m
3.5 m
2 m

DH **4** Dyma gynllun manwl gywir o ardd wedi'i luniadu yn ôl y raddfa 1 cm yn cynrychioli 4 m.

Copïwch a chwblhewch y tabl i ddangos mesuriadau gwirioneddol yr ardd.

Mesuriad	Lluniad	Gwirioneddol
Hyd y lawnt		
Lled y lawnt		
Radiws y pwll		
Lled y gwely llysiau		
Hyd y patio		
Lled y patio		

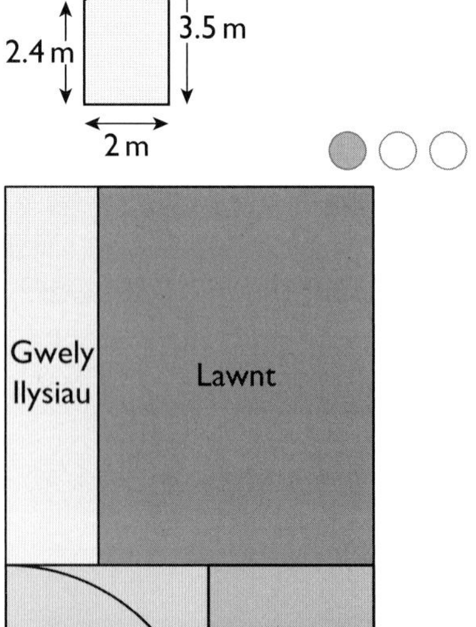

DH DA **5** Mae Tyson eisiau lluniadu lluniad wrth raddfa o erddi'r dref. Mae e'n mynd i ddefnyddio dalen o bapur sydd â'i hyd yn 70 cm a'i lled yn 44 cm. Mae gerddi'r dref yn betryal o ran siâp, eu hyd yw 280 m a'u lled yw 150 m.

Eglurwch pa raddfa dylai Tyson ei defnyddio i wneud ei luniad wrth raddfa mor fawr â phosibl.

DP DA **6** Dyma fraslun 3D o'r estyniad mae Ellie eisiau ei ychwanegu at ei thŷ. Rhaid i uchder cyfan yr estyniad fod yn 4.3 m.

Gan ddefnyddio lluniad wrth raddfa, darganfyddwch uchder y wal.

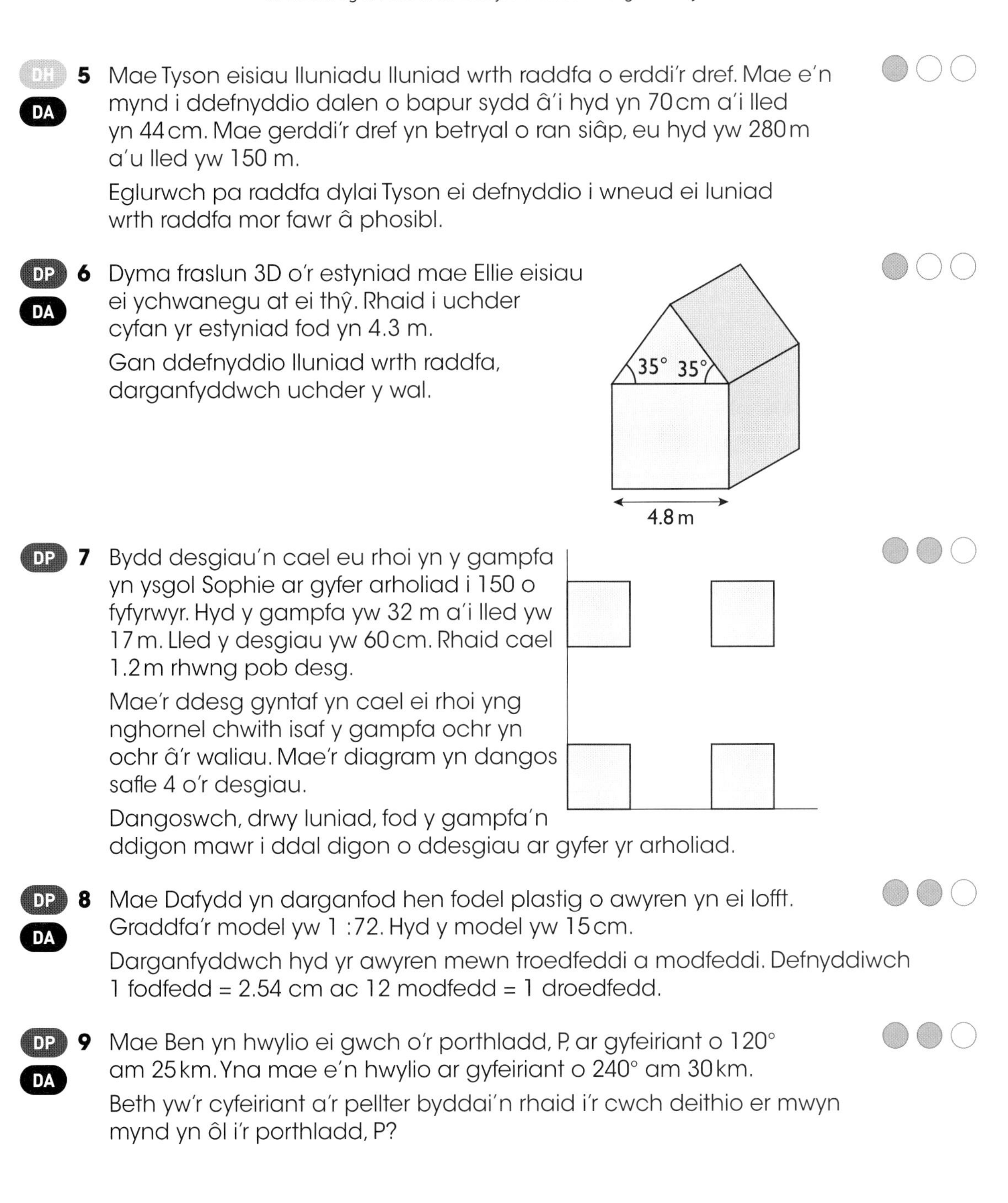

DP **7** Bydd desgiau'n cael eu rhoi yn y gampfa yn ysgol Sophie ar gyfer arholiad i 150 o fyfyrwyr. Hyd y gampfa yw 32 m a'i lled yw 17 m. Lled y desgiau yw 60 cm. Rhaid cael 1.2 m rhwng pob desg.

Mae'r ddesg gyntaf yn cael ei rhoi yng nghornel chwith isaf y gampfa ochr yn ochr â'r waliau. Mae'r diagram yn dangos safle 4 o'r desgiau.

Dangoswch, drwy luniad, fod y gampfa'n ddigon mawr i ddal digon o ddesgiau ar gyfer yr arholiad.

DP DA **8** Mae Dafydd yn darganfod hen fodel plastig o awyren yn ei lofft. Graddfa'r model yw 1 : 72. Hyd y model yw 15 cm.

Darganfyddwch hyd yr awyren mewn troedfeddi a modfeddi. Defnyddiwch 1 fodfedd = 2.54 cm ac 12 modfedd = 1 droedfedd.

DP DA **9** Mae Ben yn hwylio ei gwch o'r porthladd, P, ar gyfeiriant o 120° am 25 km. Yna mae e'n hwylio ar gyfeiriant o 240° am 30 km.

Beth yw'r cyfeiriant a'r pellter byddai'n rhaid i'r cwch deithio er mwyn mynd yn ôl i'r porthladd, P?

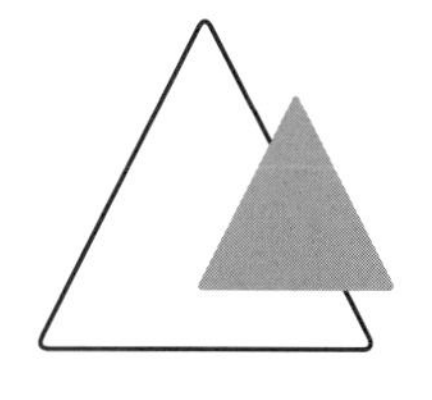

Geometreg a Mesurau
Llinyn 1 Unedau a graddfeydd
Uned 10 Unedau cyfansawdd

YS – YMARFER SGILIAU   DH – DATBLYGU HYDER   DP – DATRYS PROBLEMAU   DA – DULL ARHOLIAD

YS **1** Cyfrifwch y canlynol.

- **a** Gyrrodd Natalie ar fuanedd cyfartalog o 44 m.y.a. am ddwy awr a hanner. Cyfrifwch pa mor bell deithiodd hi.
- **b** Gyrrodd Jason 330 km mewn 6 awr. Cyfrifwch ei fuanedd cyfartalog.
- **c** Cerddodd Bavna o'i chartref i'r ysgol ar fuanedd cyfartalog o 4.5 km/awr. Roedd yr ysgol 1.5 km o'i chartref. Cyfrifwch faint o amser gymerodd hyn iddi.

YS DA **2** Rhedodd Mike 100 m mewn 9.8 eiliad.

- **a** Cyfrifwch ei fuanedd cyfartalog mewn m/s.
- **b** Newidiwch eich ateb i km/awr.

YS DA **3** Mae car Gareth yn defnyddio 5 litr o betrol i deithio 30 milltir. Mae car Susan yn defnyddio 8 litr o betrol i deithio 50 milltir.

Car pwy, ar gyfartaledd, sy'n defnyddio'r mwyaf o betrol?

DH DA **4** Mae Becca yn mynd i dyfu lawnt newydd drwy hau hadau gwair. Mae ei lawnt yn betryal sydd â'i hyd yn 17 m a'i led yn 5 m. Mae hi'n prynu blwch 2 kg o hadau gwair sy'n ddigon i dyfu lawnt 100 m^2.

Sawl gram o hadau gwair fydd ganddi ar ôl?

DH DA **5** Mae trên Toni yn gadael gorsaf Caerfaddon am 09:15. Mae'n cyrraedd Llundain am 10:30. Mae'n teithio 120 o filltiroedd o Gaerfaddon i Lundain.

Cyfrifwch ei fuanedd cyfartalog mewn m.y.a.

DH DA **6** Buanedd goleuni yw 186 000 o filltiroedd yr eiliad. Mae'r Haul 93 miliwn o filltiroedd o'r Ddaear.

Cyfrifwch faint o amser mae'n ei gymryd i belydryn o oleuni deithio o'r Haul i'r Ddaear. Rhowch eich ateb mewn munudau ac eiliadau.

DP DA **7** Y terfyn buanedd ar draffyrdd yn Ffrainc yw 130 km/awr. Y terfyn buanedd ar draffyrdd yn y DU yw 70 m.y.a.

Darganfyddwch y gwahaniaeth yn y ddau derfyn buanedd. Defnyddiwch y ffaith fod 5 milltir = 8 km.

8 Mae gan Sophie bwll pysgod ar siâp ciwboid. Mae angen iddi wacáu'r pwll llawn er mwyn ei lanhau.

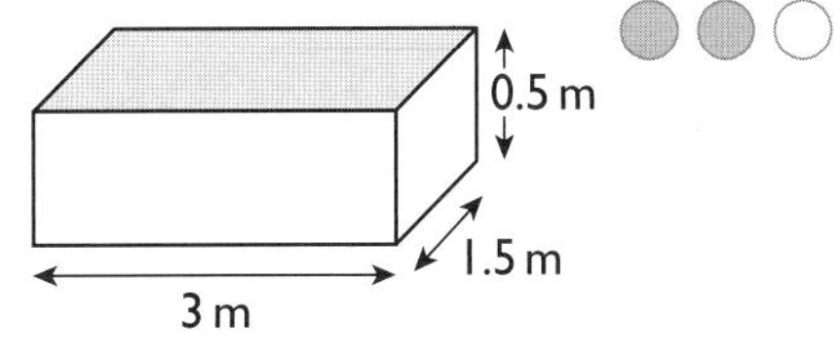

Mae hi'n rhoi'r holl bysgod mewn pwll arall ac yn pwmpio'r dŵr allan ar gyfradd o 25 litr y munud. Mae hi'n dechrau pwmpio'r dŵr allan am 10 a.m.
Faint o'r gloch bydd y pwll yn wag? Defnyddiwch y ffaith fod $1\ m^3 = 1000$ o litrau.

9 Mae Mia yn mynd i ymweld â'i mam sy'n byw 230 o filltiroedd i ffwrdd. Mae hi'n gyrru ar fuanedd cyfartalog o 60 m.y.a. am awr a hanner. Yna mae'n stopio i orffwys am 15 munud. Mae hi'n teithio gweddill y daith ar fuanedd cyfartalog o 70 m.y.a.

Cyfrifwch fuanedd cyfartalog cyffredinol Mia ar gyfer y daith gyfan.

10 Mae Tomos yn defnyddio'r graff trawsnewid hwn i newid rhwng litrau a galwyni.

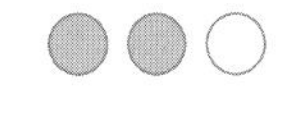

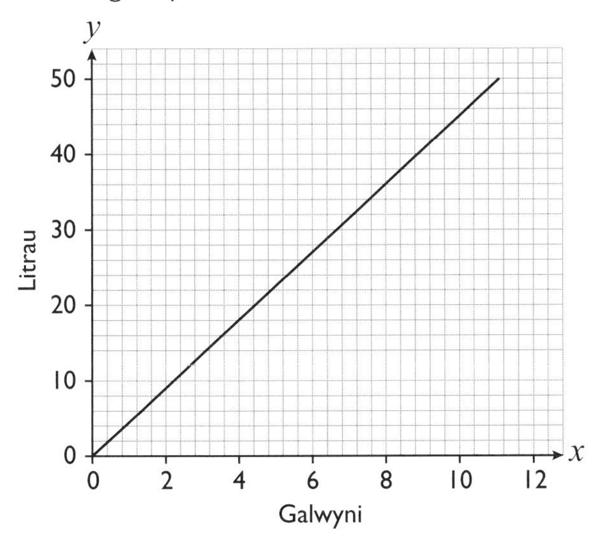

a **i** Newidiwch 5 galwyn i litrau.

ii Newidiwch 45 litr i galwyni.

Ar gyfartaledd mae Tomos yn defnyddio 0.5 litr o olew gwresogi yr awr i redeg ei system wresogi. Mae'r system wresogi yn gweithio am 14.5 awr y dydd am 200 diwrnod y flwyddyn. Mae gan Tomos ddau danc gwag lle mae e'n storio'r olew gwresogi. Mae Tanc P yn dal 1000 o litrau o olew. Mae Tanc Q yn dal 300 galwyn o olew.

Mae Tomos yn prynu digon o olew gwresogi i bara am flwyddyn gyfan. Mae e'n llenwi Tanc P yn llwyr ac mae'n rhoi gweddill yr olew yn Nhanc Q.

b Sawl galwyn mae Tomos yn ei rhoi yn Nhanc Q?

Mae Tomos yn penderfynu llenwi Tanc Q yn llwyr gan ei fod yn cael bargen arbennig ar olew gwresogi. Mae'r olew ychwanegol yn costio 32c y litr.

c Faint mae'n ei gostio i lenwi Tanc Q yn llwyr?

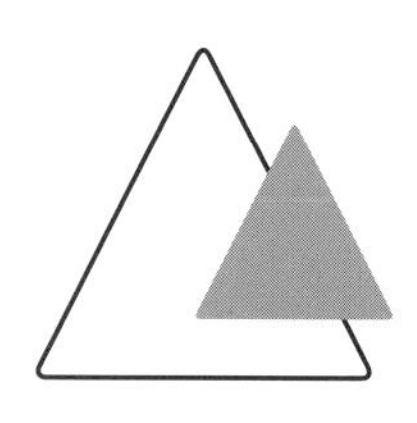

Geometreg a Mesurau Llinyn 2 Priodweddau siapiau Uned 5 Onglau mewn trionglau a phedrochrau

DP **1** Darganfyddwch faint ongl a.

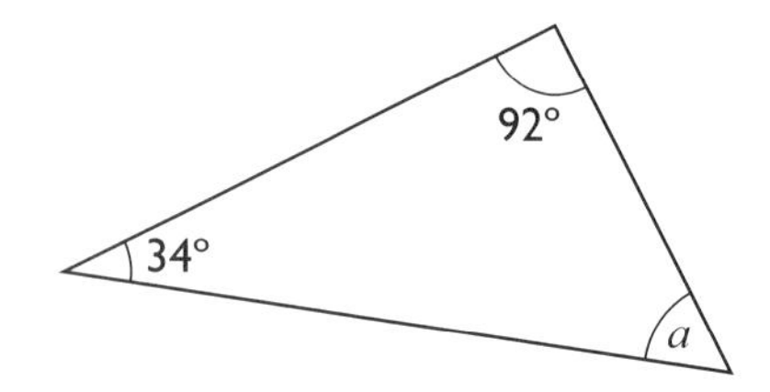

DP **2** Darganfyddwch faint ongl b.

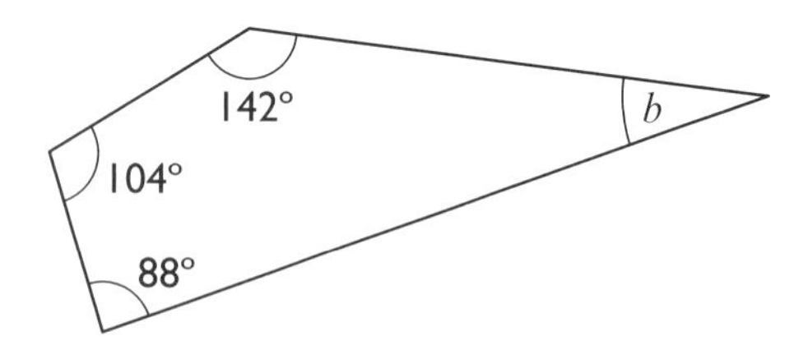

DH YS **3** Darganfyddwch faint onglau c a d.

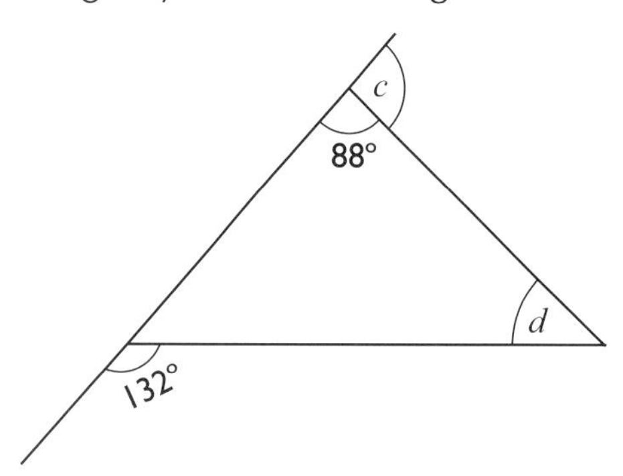

4 Darganfyddwch faint ongl e.

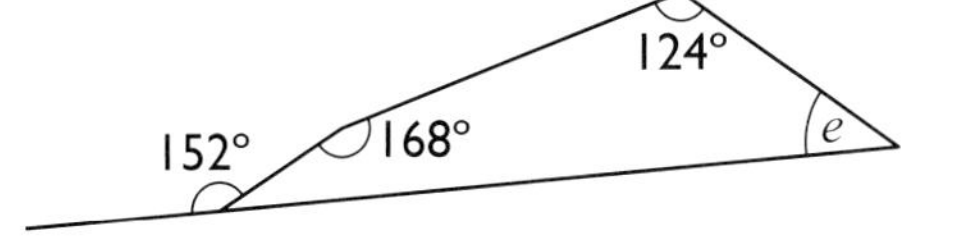

DA **5** Darganfyddwch faint ongl a.

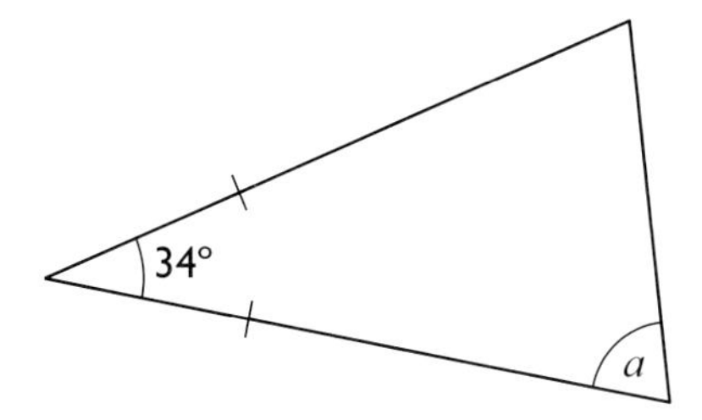

DA **6** Darganfyddwch faint ongl b.

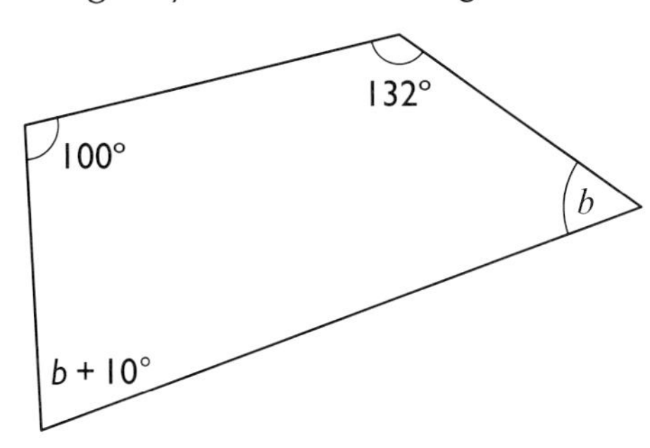

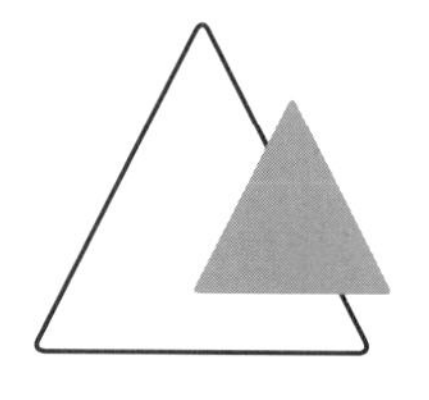

Geometreg a Mesurau
Llinyn 2 Priodweddau siapiau
Uned 6 Mathau o bedrochr

YS — YMARFER SGILIAU   DH — DATBLYGU HYDER   DP — DATRYS PROBLEMAU   DA — DULL ARHOLIAD

YS **1** Enwch y pedrochrau sydd â

a dau bâr o ochrau cyferbyn sy'n hafal a pharalel

b pedair ochr hafal

c croesliniau sy'n croesi ar 90°.

YS **2** **a** Lluniadwch drapesiwm sydd â dim ond un ongl lem.

b Lluniadwch farcut sydd â dim ond un ongl sgwâr.

c Lluniadwch ben saeth sydd â dim ond un ongl sgwâr.

ch Eglurwch pam nad yw'n bosibl lluniadu trapesiwm sydd â dim ond un ongl sgwâr.

DH **3** Lluniadwch grid cyfesurynnau *xy* gydag echelinau-*x* ac -*y* o 0 i 8.

a Plotiwch y pwyntiau P yn (2, 8) a Q yn (6, 5).

i Lluniadwch betryal sydd â PQ yn groeslin.

b Plotiwch y pwynt, R, yn (7, 1).

i Darganfyddwch gyfesurynnau S i wneud PQRS yn baralelogram.

DH **4** Lluniadwch grid cyfesurynnau *xy* gydag echelinau-*x* ac -*y* o −2 i 8.

a Plotiwch y pwyntiau A yn (7, 2) ac C yn (1, 6).

i Lluniadwch rhombws sydd ag AC yn groeslin.

b Plotiwch y pwynt B yn (5, 6).

i Darganfyddwch gyfesurynnau safle posibl D i wneud ABCD yn drapesiwm isosgeles.

DH **5** Paralelogram yw PQRS.

Darganfyddwch onglau coll y paralelogram, sef $\hat{P}$, $\hat{Q}$ ac $\hat{R}$. Eglurwch eich ateb.

P Q
65°
S R

DP DA

6 Trapesiwm isosgeles yw ABCD. Triongl isosgeles yw BEC.

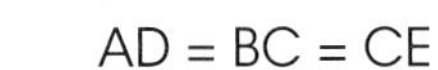
AD = BC = CE

Darganfyddwch faint ongl $\hat{D}$. Rhowch resymau dros eich ateb.

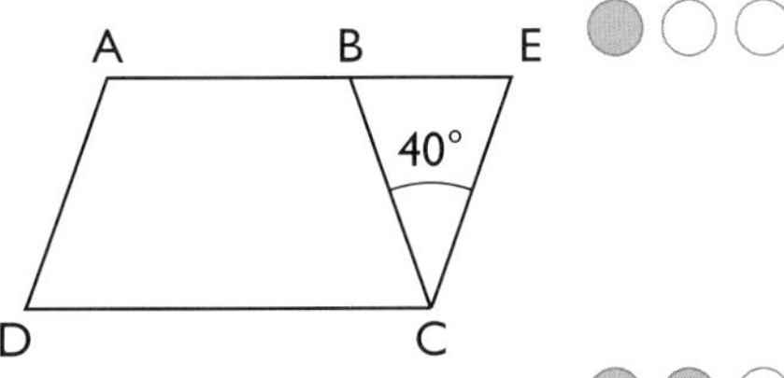

DP DA

7 Rhombws yw EFGH. Llinell syth yw JHG.

Eglurwch pam mae ongl EGF yn 64°.

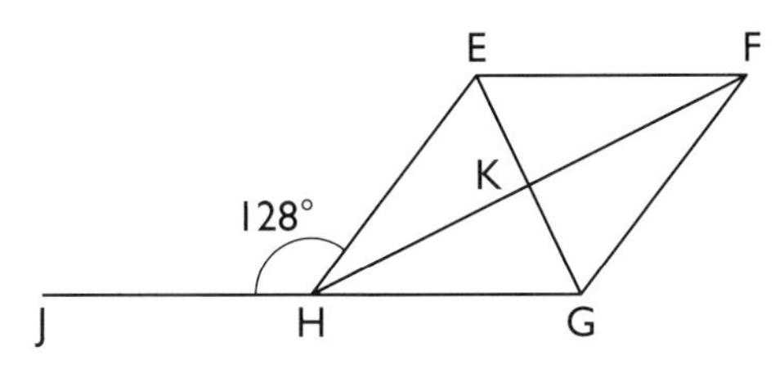

DP DA

8 Rhombws yw ABCD.

P yw canolbwynt AB.
Q yw canolbwynt BC.
R yw canolbwynt CD.
S yw canolbwynt DA.
Eglurwch pam mae PQRS yn betryal.

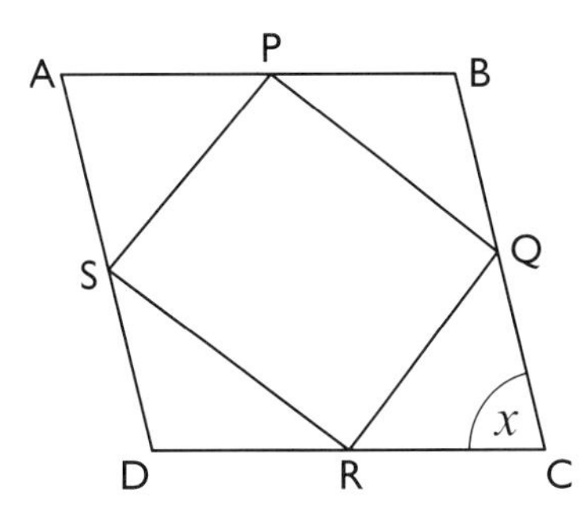

DP DA

9 Paralelogram yw PQST. Triongl isosgeles yw QRS.

Cyfrifwch faint ongl SQR.
Rhowch resymau dros eich ateb.

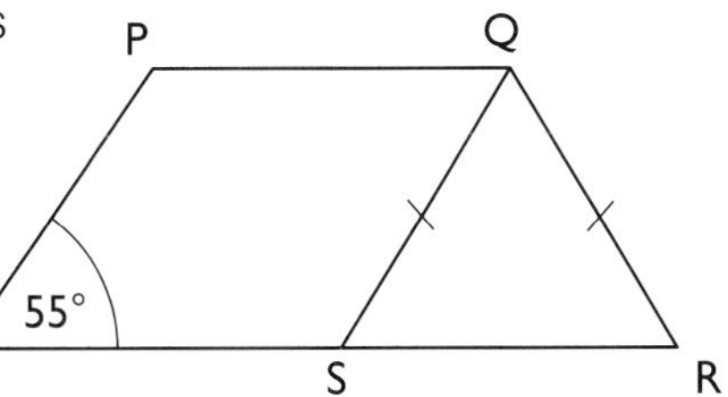

DP DA

10 Paralelogram yw ABCE. Triongl ongl sgwâr yw ADE.

Cyfrifwch faint ongl EAD.

Rhowch resymau dros eich ateb.

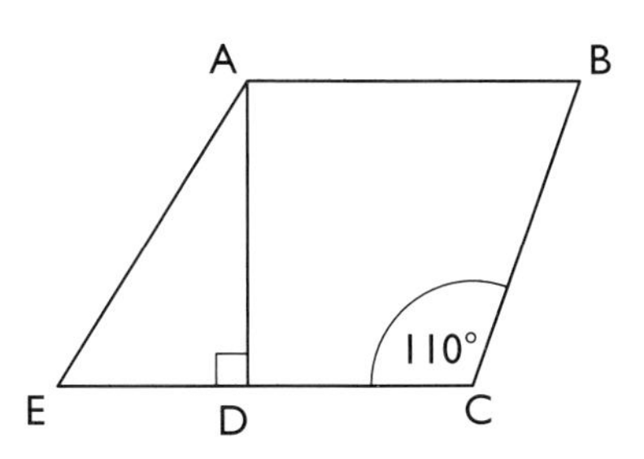

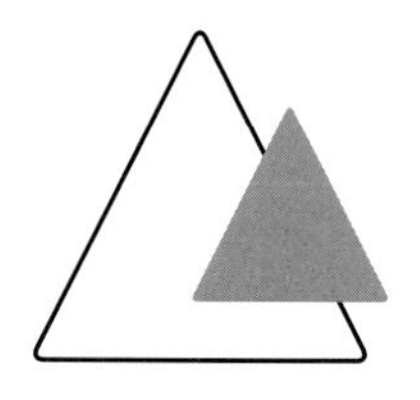

Geometreg a Mesurau Llinyn 2 Priodweddau siapiau Uned 7 Onglau a llinellau paralel

1 Ysgrifennwch enw'r onglau sydd wedi'u nodi.

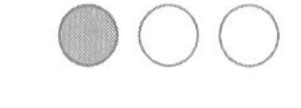

a

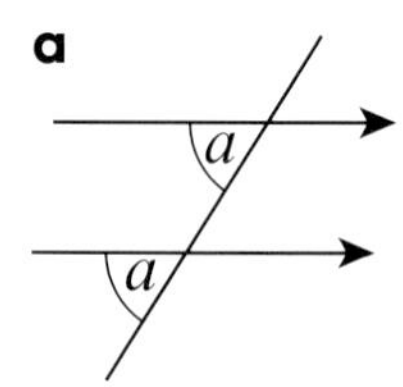

b

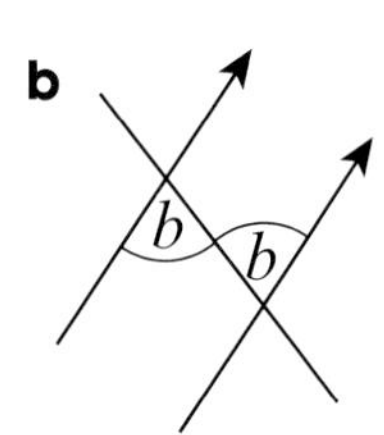

c

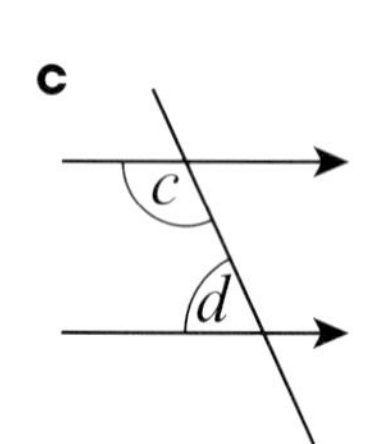

2 Darganfyddwch yr onglau coll yn y diagramau canlynol.
Rhowch resymau dros eich ateb.

a

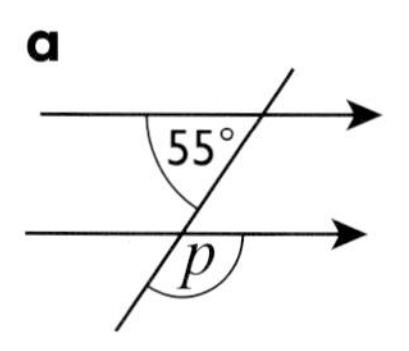

b

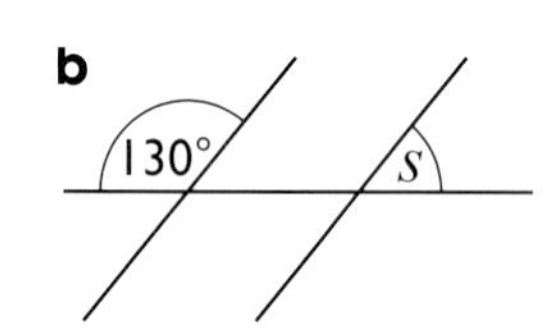

3 Darganfyddwch yr onglau coll yn y diagramau canlynol.

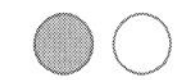

a

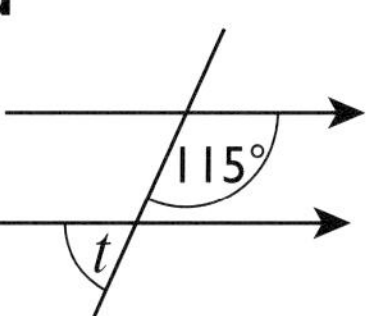

b

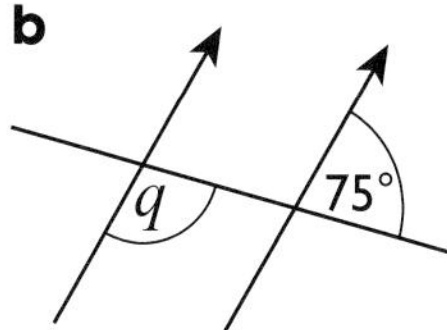

YS **4** Eglurwch yn llawn pam mae'r ddwy ongl fewnol sydd wedi'u nodi yn y diagram hwn yn onglau atodol.

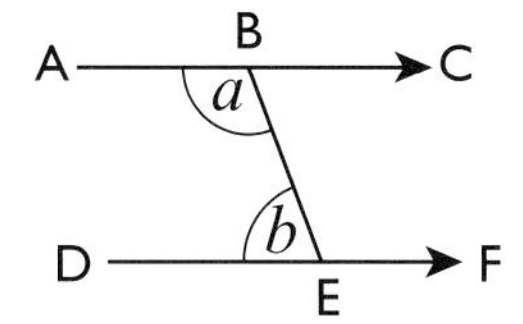

DH **5** Dyma ddiagram o gât.

Darganfyddwch yr onglau coll. Rhowch resymau dros eich ateb.

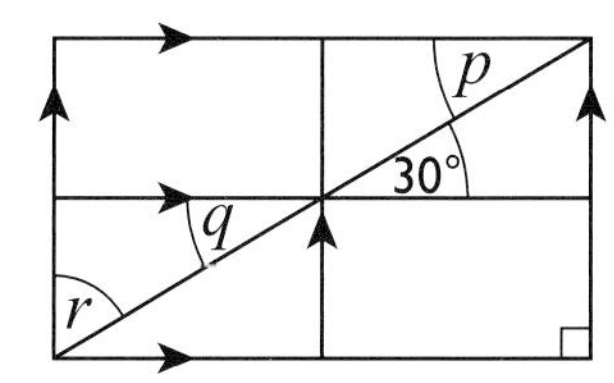

6 Petryal yw PQRS. Llinell syth yw SRT. Paralelogram yw PQTR.

DA Darganfyddwch werth ongl RP̂S.

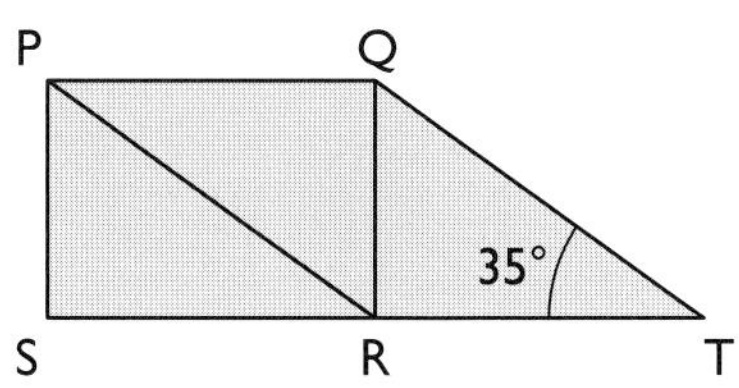

7 Paralelogram yw ABDE. Triongl isosgeles yw BCD.

DA Darganfyddwch faint ongl AED. Rhowch resymau dros eich ateb.

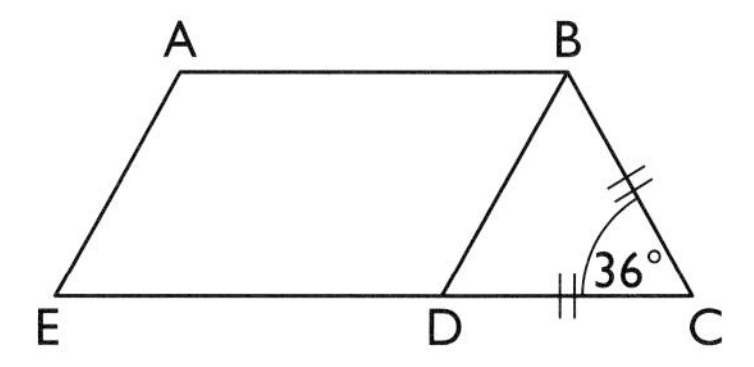

DP DA **8** Mae'r diagram yn cynnwys petryal a pharalelogram. Darganfyddwch faint ongl *a*.

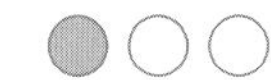

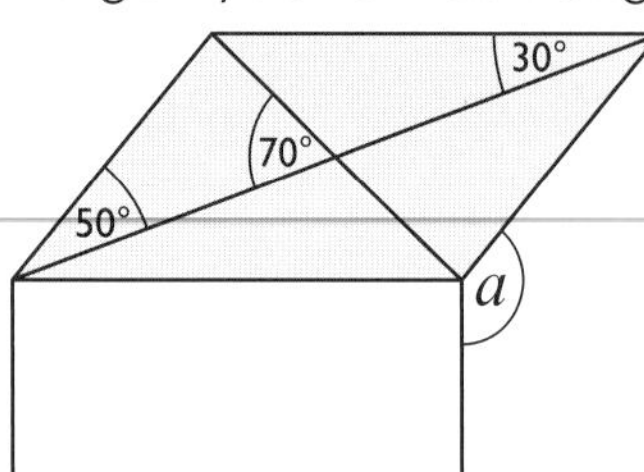

DP DA **9** Triongl isosgeles yw EFG. Eglurwch pam.

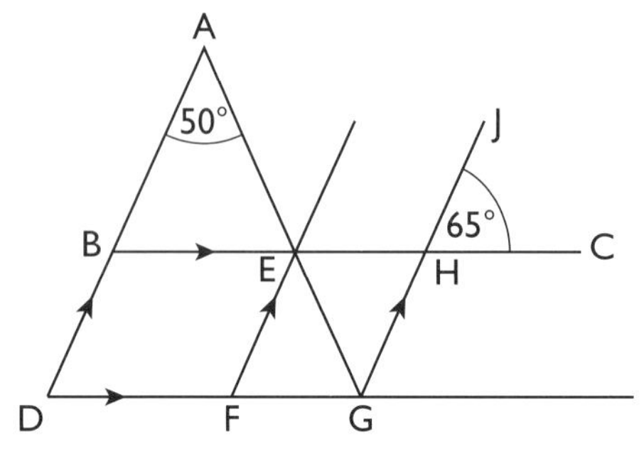

DP DA **10 a** Defnyddiwch y diagram hwn i egluro pam mae tair ongl triongl yn adio i 180°. Rhaid i chi roi rhesymau gyda'ch esboniad.

b Ysgrifennwch ffaith yn eich esboniad.

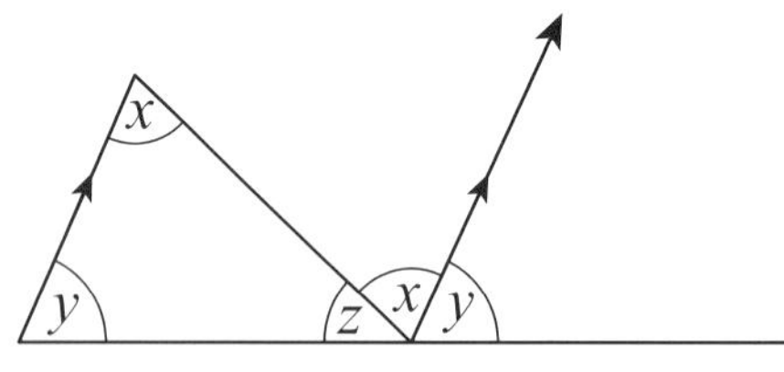

DP DA **11** Eglurwch pam mae AB ac CD yn llinellau paralel. Rhowch resymau dros bob cam o'ch esboniad.

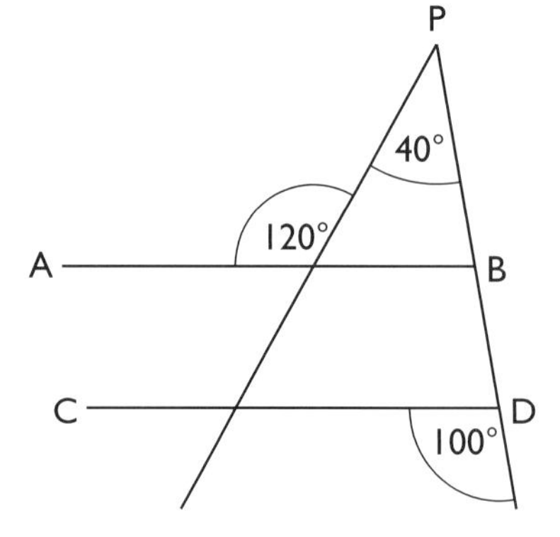

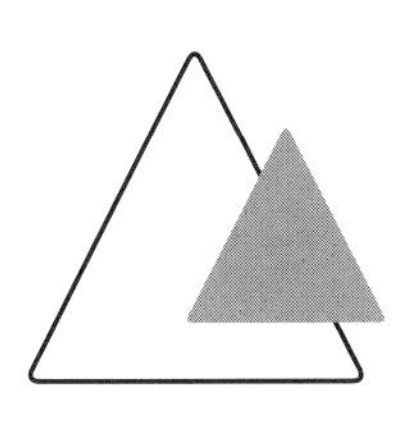

Geometreg a Mesurau
Llinyn 2 Priodweddau siapiau
Uned 8 Onglau mewn polygon

YS – YMARFER SGILIAU | DH – DATBLYGU HYDER | DP – DATRYS PROBLEMAU | DA – DULL ARHOLIAD

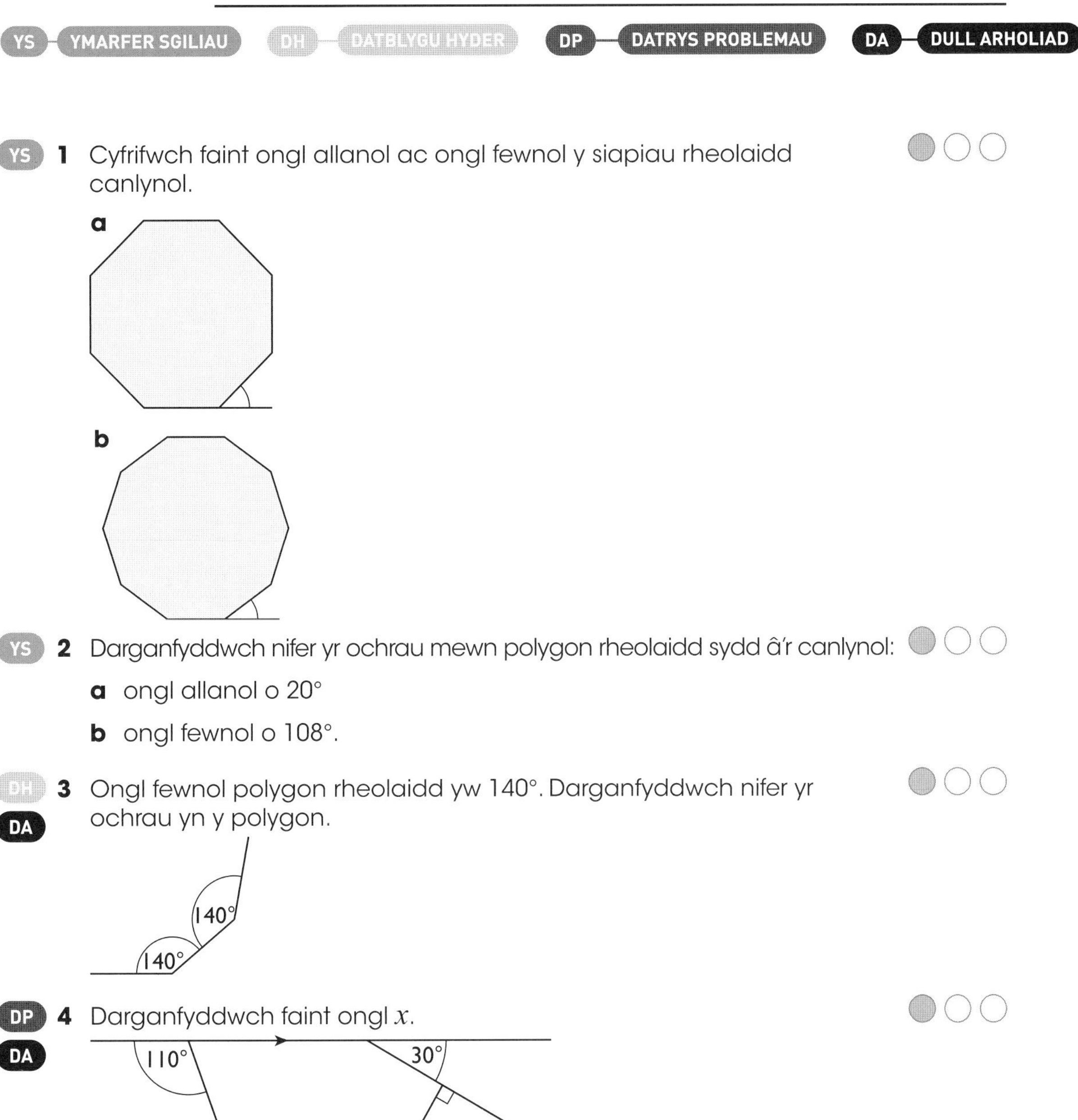

YS **1** Cyfrifwch faint ongl allanol ac ongl fewnol y siapiau rheolaidd canlynol.

a

b

YS **2** Darganfyddwch nifer yr ochrau mewn polygon rheolaidd sydd â'r canlynol:

a ongl allanol o 20°

b ongl fewnol o 108°.

DH DA **3** Ongl fewnol polygon rheolaidd yw 140°. Darganfyddwch nifer yr ochrau yn y polygon.

DP DA **4** Darganfyddwch faint ongl x.

DP DA **5** Mae'r diagram yn dangos octagon rheolaidd a hecsagon rheolaidd. Darganfyddwch faint ongl m.

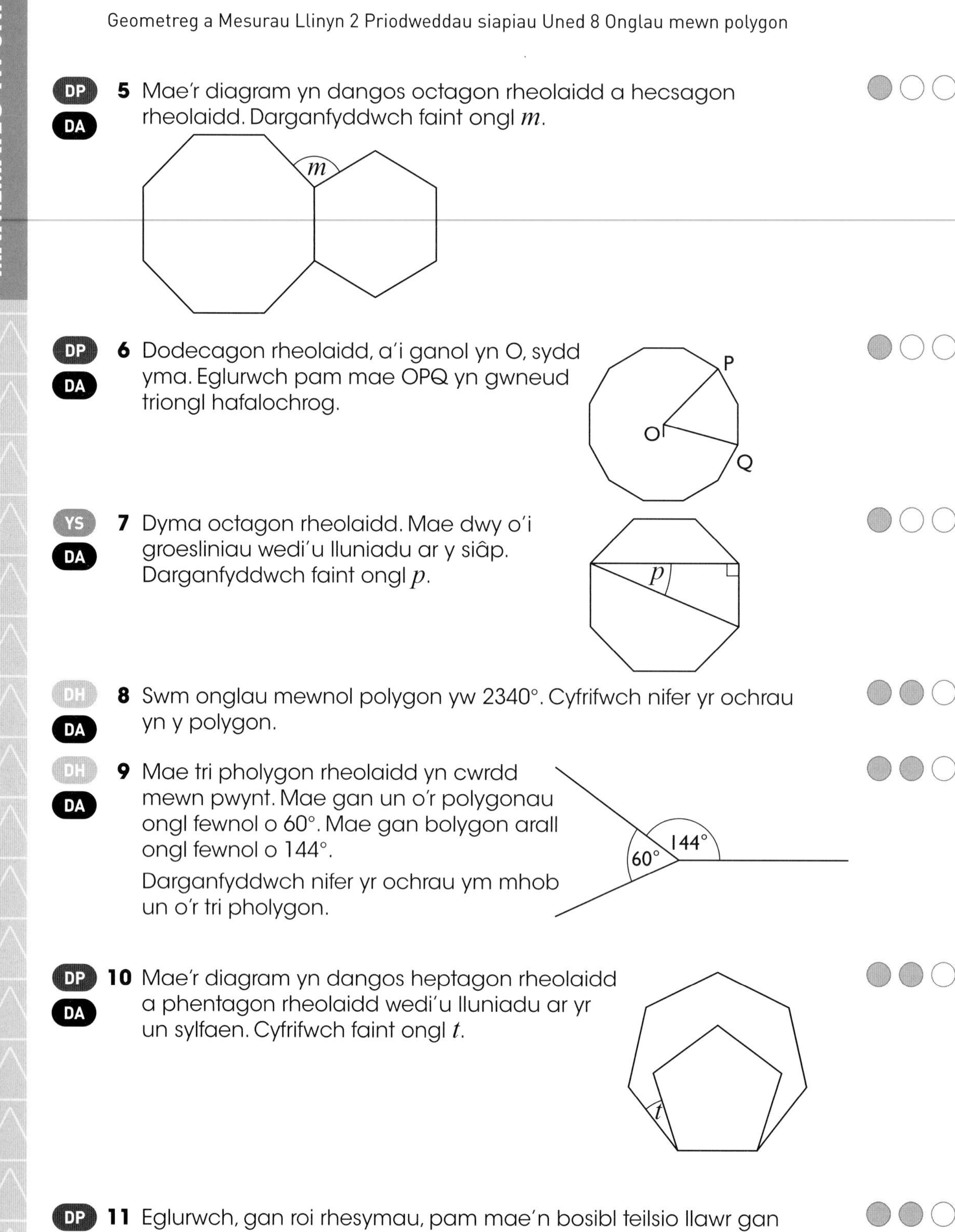

DP DA **6** Dodecagon rheolaidd, a'i ganol yn O, sydd yma. Eglurwch pam mae OPQ yn gwneud triongl hafalochrog.

YS DA **7** Dyma octagon rheolaidd. Mae dwy o'i groesliniau wedi'u lluniadu ar y siâp. Darganfyddwch faint ongl p.

DH DA **8** Swm onglau mewnol polygon yw 2340°. Cyfrifwch nifer yr ochrau yn y polygon.

DH DA **9** Mae tri pholygon rheolaidd yn cwrdd mewn pwynt. Mae gan un o'r polygonau ongl fewnol o 60°. Mae gan bolygon arall ongl fewnol o 144°.

Darganfyddwch nifer yr ochrau ym mhob un o'r tri pholygon.

DP DA **10** Mae'r diagram yn dangos heptagon rheolaidd a phentagon rheolaidd wedi'u lluniadu ar yr un sylfaen. Cyfrifwch faint ongl t.

DP DA **11** Eglurwch, gan roi rhesymau, pam mae'n bosibl teilsio llawr gan ddefnyddio dodecagonau rheolaidd a thrionglau hafalochrog sydd ag ochrau o'r un hyd. Dylech nodi unrhyw dybiaethau rydych chi'n eu gwneud.

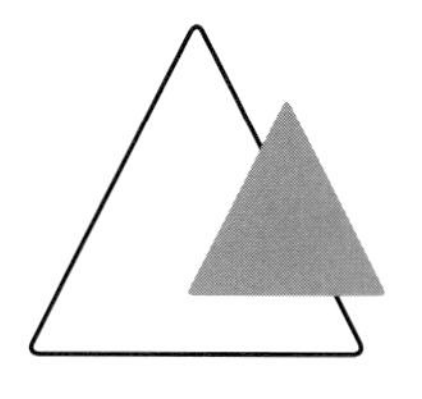

Geometreg a Mesurau Llinyn 3 Mesur siapiau Uned 2 Darganfod arwynebedd a pherimedr

DH — DATBLYGU HYDER

DP **1** Darganfyddwch arwynebedd a pherimedr y petryal. Nodwch yr uned yn eich ateb.

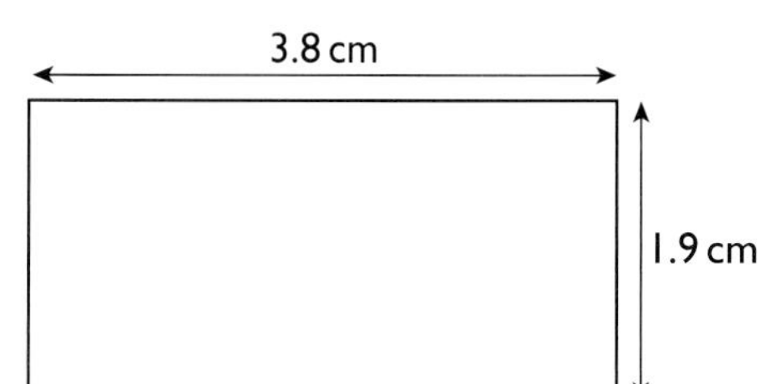

DP **2** Darganfyddwch arwynebedd y triongl. Nodwch yr uned yn eich ateb.

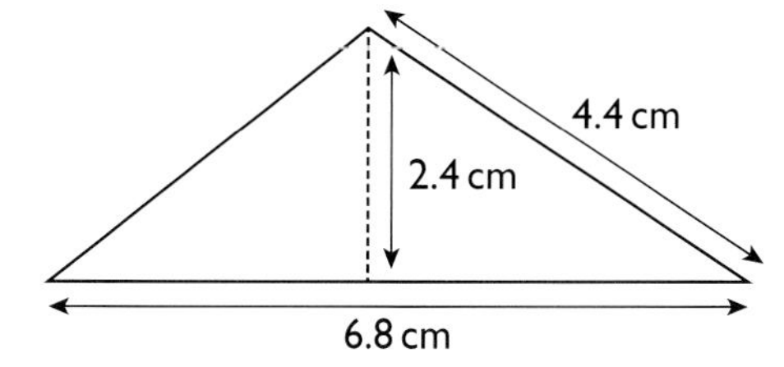

DH **3** Darganfyddwch arwynebedd y paralelogram. Nodwch yr uned yn eich ateb.

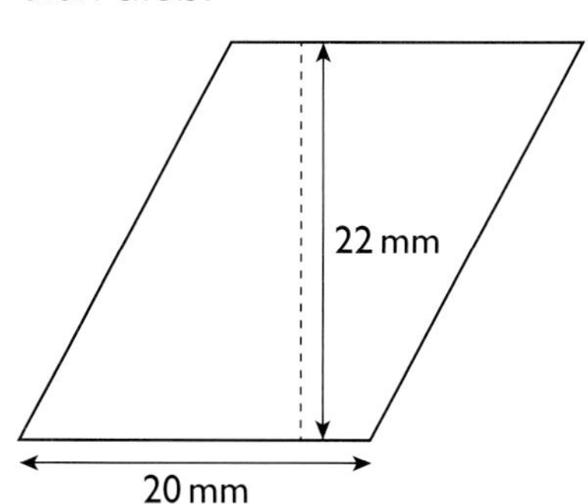

DH **4** Darganfyddwch arwynebedd y trapesiwm. Nodwch yr uned yn eich ateb. 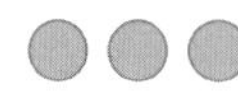

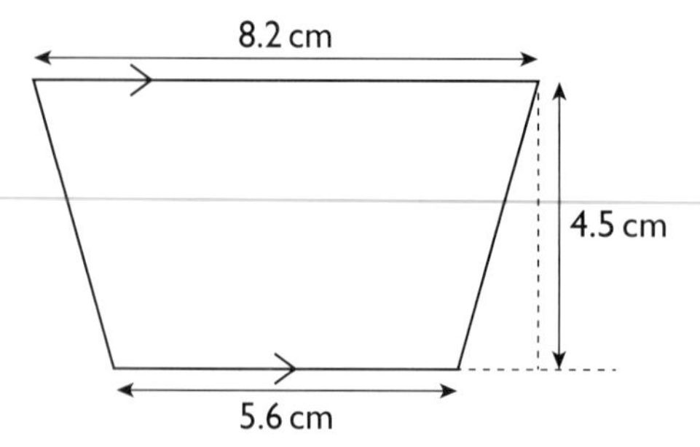

YS **5** Darganfyddwch berimedr y trapesiwm. Nodwch yr uned yn eich ateb. 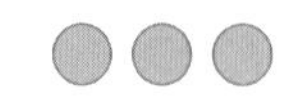

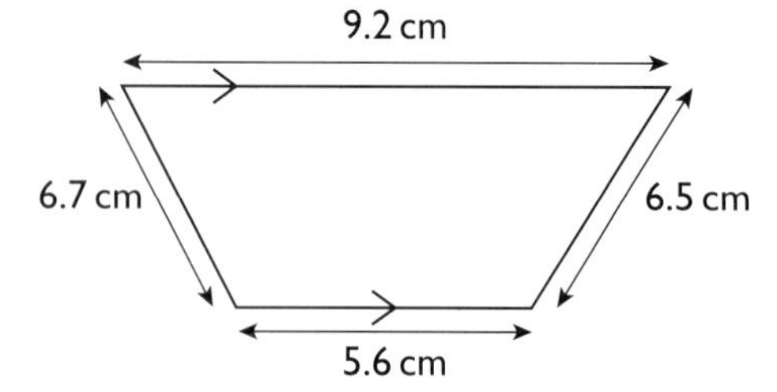

YS **6** Darganfyddwch berimedr y siâp cyfansawdd sy'n cael ei ddangos isod. Nodwch yr uned yn eich ateb.

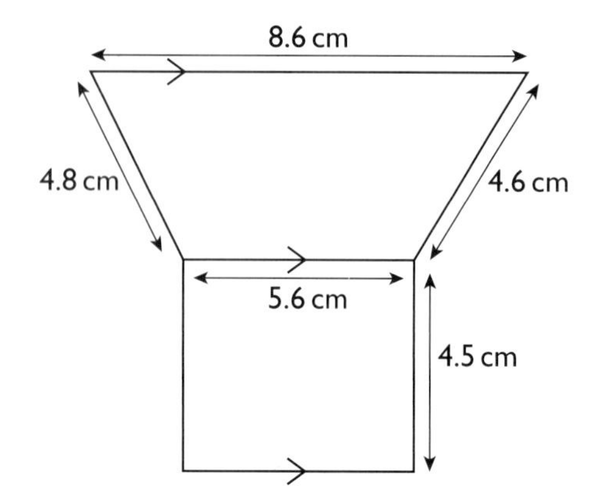

DA **7** Atebwch y canlynol. Nodwch yr unedau yn eich atebion.

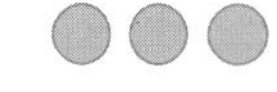

a Darganfyddwch berimedr y petryal cyflawn sydd i'w weld.

b Darganfyddwch arwynebedd y petryal cyflawn sydd i'w weld.

c Darganfyddwch arwynebedd triongl ABC. Dangoswch eich gwaith cyfrifo.

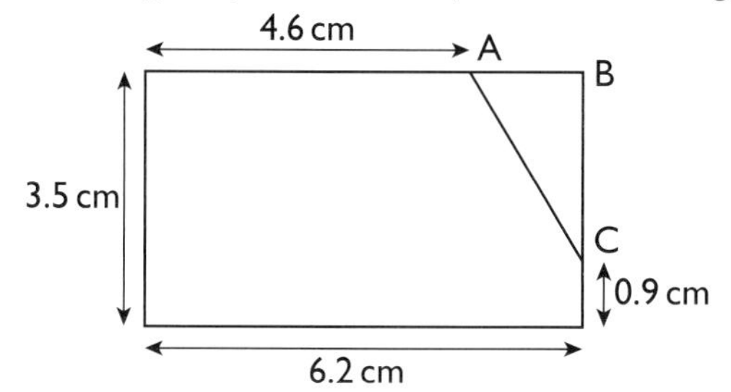

DA **8** Mae llwybr Rhodri yn siâp cyfansawdd sydd wedi'i wneud drwy gysylltu trapesiwm, sgwâr a pharalelogram. Mae Rhodri eisiau trin ei lwybr gyda lladdwr chwyn bioddiraddadwy. Bydd pob potel o laddwr chwyn yn trin $8\,m^2$ ac yn costio £1.20.

a Faint bydd yn ei gostio i Rhodri drin ei lwybr? Cofiwch fod angen iddo brynu poteli cyflawn o laddwr chwyn.

b A fydd gan Rhodri fwy na hanner potel o laddwr chwyn ar ôl neu lai na hanner potel? Rhaid i chi ddangos eich gwaith cyfrifo.

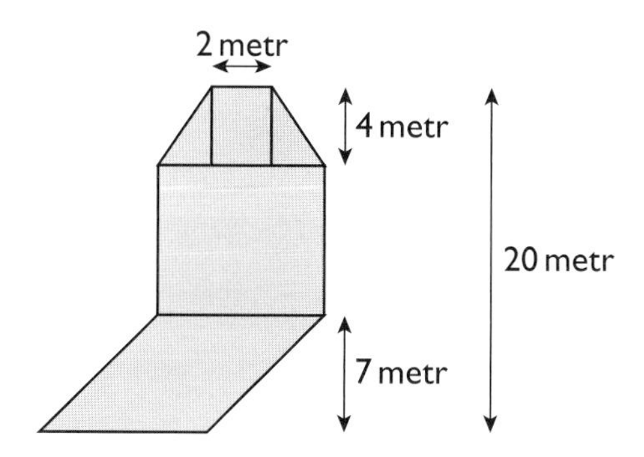

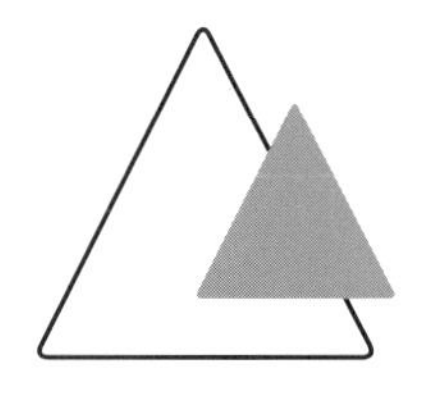

Geometreg a Mesurau Llinyn 3 Mesur siapiau Uned 3 Cylchedd

YS — YMARFER SGILIAU   DH — DATBLYGU HYDER   DP — DATRYS PROBLEMAU   DA — DULL ARHOLIAD

YS **1** Darganfyddwch gylchedd y cylchoedd canlynol sydd â'r radiws

a 4 cm

b 7.5 m

c 0.5 km.

Ysgrifennwch eich atebion yn gywir i ddau le degol.

Cofiwch
$C = \pi d$
neu
$C = 2\pi r$

YS **2** Darganfyddwch gylchedd y cylchoedd canlynol sydd â'r diamedr

a 6 cm

b 3.5 m

c 0.25 km.

Ysgrifennwch eich atebion yn gywir i un lle degol.

YS **3** **a** Cylchedd cylch yw 78.5 cm. Darganfyddwch ddiamedr y cylch. Rhowch eich ateb yn gywir i 1 lle degol.

b Cylchedd cylch yw 1 m. Darganfyddwch radiws y cylch. Rhowch eich ateb yn gywir i 2 le degol.

DH DA **4** Mae Derek yn gwneud gwely blodau ar siâp hanner cylch. Radiws y gwely blodau yw 90 cm. Darganfyddwch berimedr y gwely blodau.

DH DA **5** Mae Carlie yn gwneud teisen sydd â'i diamedr yn 25 cm. Mae hi'n rhoi rhuban o amgylch canol y deisen. Mae Carlie yn torri'r rhuban fel bod 2 cm ohono yn gorgyffwrdd ar y pen.

Beth yw hyd y rhuban? Rhowch eich ateb i'r centimetr agosaf.

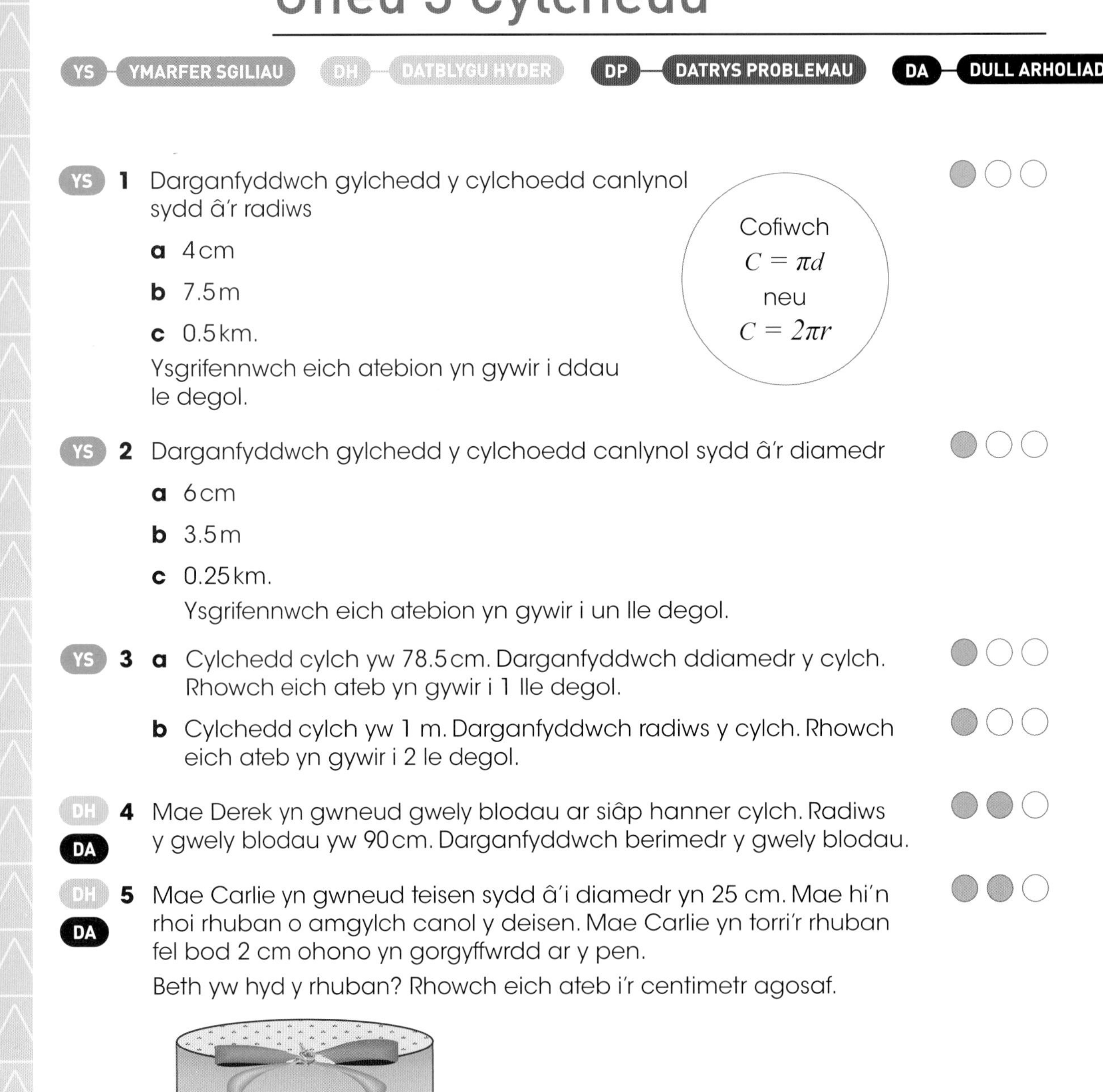

DP DA **6** Mae Jamie yn gwneud gemwaith. Mae hi'n gwneud tlws o hanner cylch a thriongl hafalochrog.

Darganfyddwch berimedr y tlws. Rhowch eich ateb yn gywir i 2 le degol.

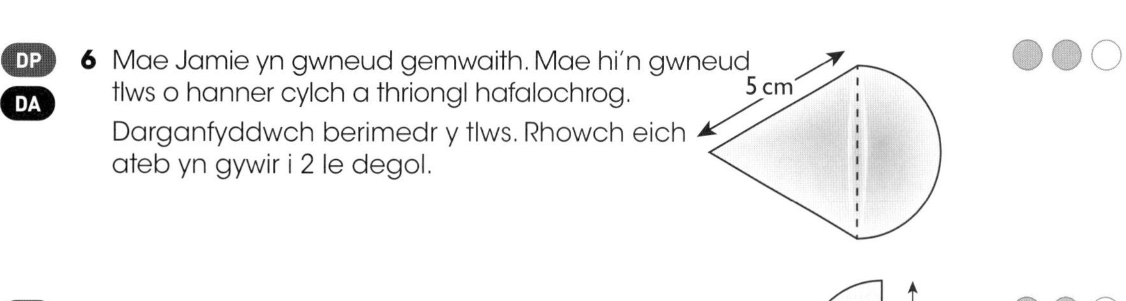

DP DA **7** Mae Naga yn gwneud pwll pysgod yn ei gardd. Mae'r pwll pysgod ar siâp chwarter cylch. Radiws y cylch yw 1.5 metr. Mae Naga yn bwriadu creu llwybr o amgylch y pwll.

Darganfyddwch berimedr y pwll. Rhowch eich ateb i'r cm agosaf.

DP DA **8** Mae Wyn yn marcio cwrt pêl-rwyd yn neuadd yr ysgol. Mae'r cwrt yn cynnwys tri phetryal a dau hanner cylch. Mae Wyn yn defnyddio tâp i farcio'r llinellau. Mae pob rholyn o dâp yn cynnwys 50 m o dâp.
Dyma ddiagram sy'n dangos y llinellau ar y cwrt. Cyfrifwch sawl rholyn o dâp mae angen i Wyn ei brynu.

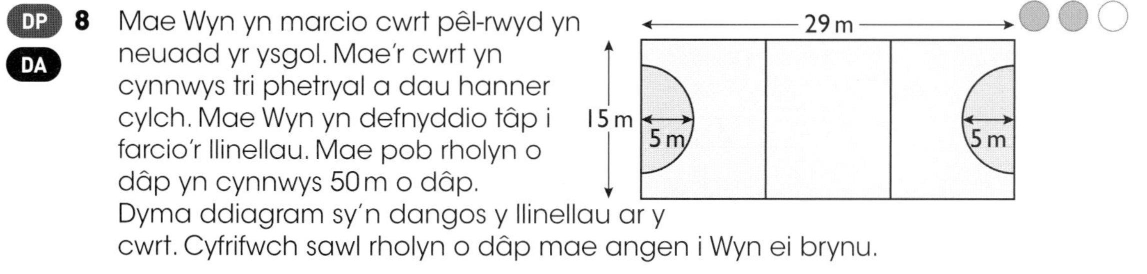

DP DA **9** Mae Hefin yn gwneud ffenestr o wydr lliw. Mae e'n defnyddio darnau o blwm i ddal y gwydr yn ei le. Mae'r ffenestr betryal yn cynnwys dau hanner cylch a 6 ymyl syth.

Cyfrifwch hyd cyfan y plwm sydd ei angen i wneud y ffenestr. Rhowch eich ateb i'r centimetr agosaf.

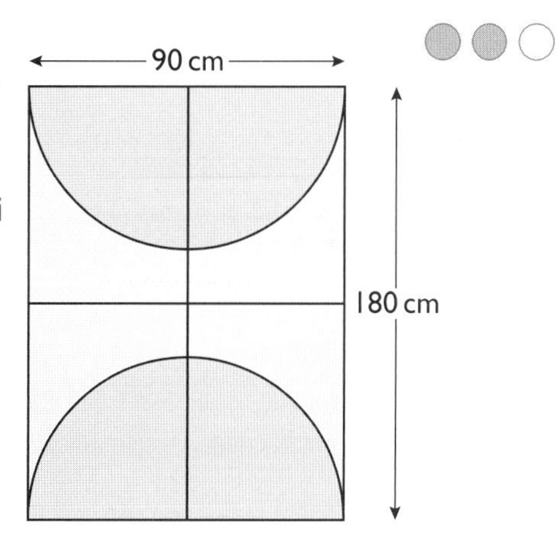

DP DA **10** Mae Rose yn gwneud gwely blodau. Mae'r gwely blodau yn cynnwys dau hanner cylch. Radiws yr hanner cylch mawr yw 3 m. Radiws yr hanner cylch bach yw 1 m.

Mae Rose yn mynd i roi stribedi ymyl ar hyd pob un o ymylon y gwely blodau. Mae'r stribedi ymyl yn cael eu gwerthu mewn hydoedd o 1.8 m. Faint o stribedi ymyl bydd angen i Rose eu prynu?

3 m
1 m

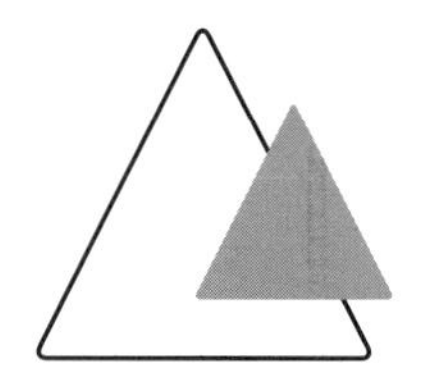

Geometreg a Mesurau Llinyn 3 Mesur siapiau Uned 4 Arwynebedd cylchoedd

YS YMARFER SGILIAU DH DATBLYGU HYDER DP DATRYS PROBLEMAU DA DULL ARHOLIAD

YS **1** Darganfyddwch arwynebedd y cylchoedd canlynol sydd â'u radiws yn

a 5 cm

b 7 m

c 3.2 cm.

Rhowch eich atebion yn gywir i un lle degol.

Cofiwch
Arwynebedd $= \pi \times r^2$

YS **2** Darganfyddwch arwynebedd y cylchoedd canlynol sydd â'u diamedr yn

a 6 cm

b 5 m

c 0.8 km.

Rhowch eich atebion yn gywir i un lle degol.

YS **3** **a** Arwynebedd cylch yw 15.7 cm^2. Darganfyddwch radiws y cylch. Rhowch eich ateb yn gywir i ddau le degol.

b Arwynebedd cylch yw 1 m^2. Darganfyddwch ddiamedr y cylch. Rhowch eich ateb i'r centimetr agosaf.

DH **4** **a** Arwynebedd cylch yw 50 cm^2. Darganfyddwch gylchedd y cylch. Rhowch eich ateb yn gywir i un lle degol.

b Cylchedd cylch yw 314 cm. Darganfyddwch arwynebedd y cylch. Rhowch eich ateb yn gywir i'r metr^2 agosaf.

DH DA **5** Mae Mo yn gwneud gwely blodau hanner cylch. Radiws y gwely blodau yw 1.5 m.

Darganfyddwch arwynebedd y gwely blodau. Rhowch eich ateb yn gywir i 2 le degol.

1.5 m

DP DA **6** Mae Mia yn gwneud carped hanner cylch. Arwynebedd y carped yw 2.55 m^2.

Darganfyddwch berimedr y carped. Rhowch eich ateb i'r cm agosaf.

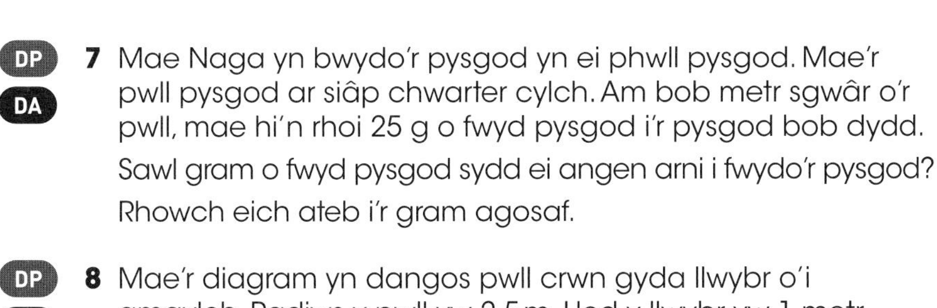

DP DA **7** Mae Naga yn bwydo'r pysgod yn ei phwll pysgod. Mae'r pwll pysgod ar siâp chwarter cylch. Am bob metr sgwâr o'r pwll, mae hi'n rhoi 25 g o fwyd pysgod i'r pysgod bob dydd.

Sawl gram o fwyd pysgod sydd ei angen arni i fwydo'r pysgod?

Rhowch eich ateb i'r gram agosaf.

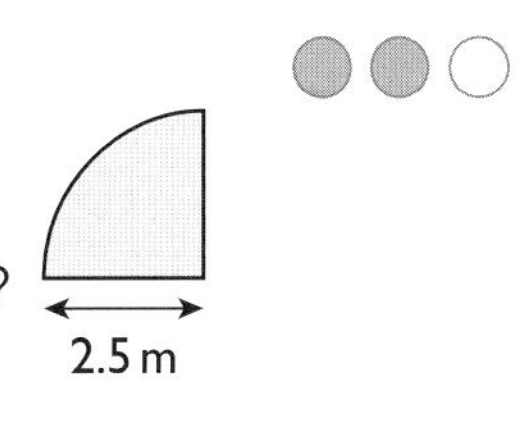

DP DA **8** Mae'r diagram yn dangos pwll crwn gyda llwybr o'i amgylch. Radiws y pwll yw 2.5 m. Lled y llwybr yw 1 metr. Mae'r llwybr yn mynd i gael ei orchuddio gyda rhisgl pren. Mae rhisgl pren yn cael ei werthu mewn bagiau sy'n costio £2.99 yr un. Mae pob bag yn cynnwys digon o risgl i orchuddio 0.75 m^2.

Cyfrifwch gost y rhisgl pren sydd ei angen i orchuddio'r llwybr.

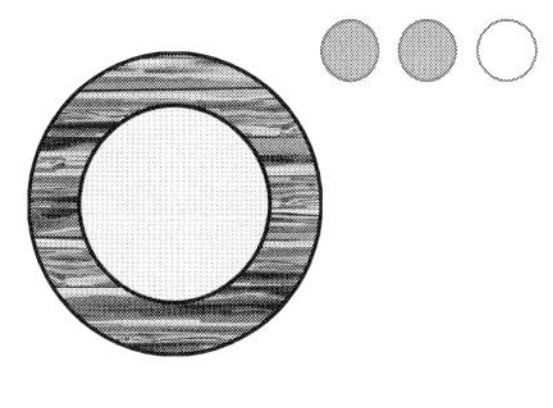

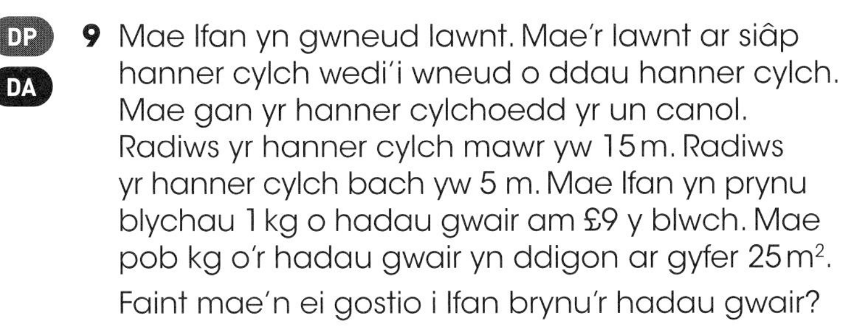

DP DA **9** Mae Ifan yn gwneud lawnt. Mae'r lawnt ar siâp hanner cylch wedi'i wneud o ddau hanner cylch. Mae gan yr hanner cylchoedd yr un canol. Radiws yr hanner cylch mawr yw 15 m. Radiws yr hanner cylch bach yw 5 m. Mae Ifan yn prynu blychau 1 kg o hadau gwair am £9 y blwch. Mae pob kg o'r hadau gwair yn ddigon ar gyfer 25 m^2.

Faint mae'n ei gostio i Ifan brynu'r hadau gwair?

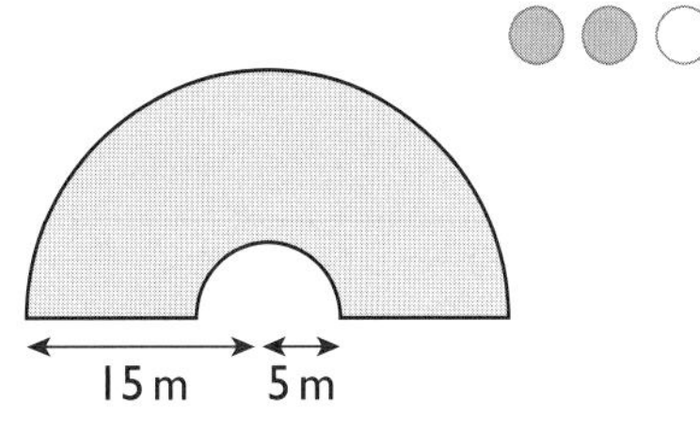

DH DA **10** Mae Paul yn gwneud tlws. Mae e'n ei wneud o hanner cylch a dau chwarter cylch o fetel. Diamedr yr hanner cylch yw 4.5 cm. Radiws y chwarter cylch mawr yw 2.5 cm. Radiws y chwarter cylch bach yw 1.5 cm.

Darganfyddwch arwynebedd y tlws.

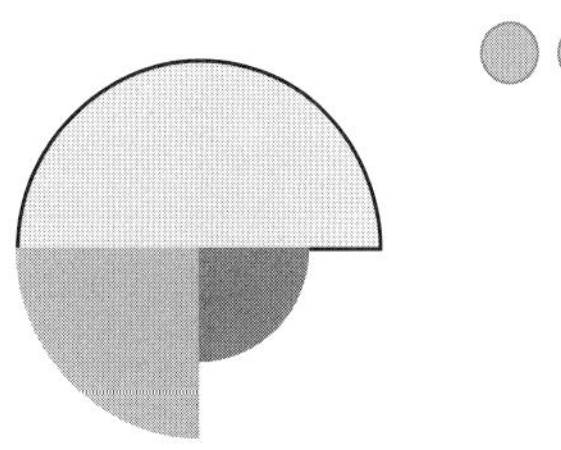

DP DA **11** Mae'r siâp hwn yn cynnwys triongl ongl sgwâr, dau hanner cylch a chwarter cylch.

Darganfyddwch arwynebedd y siâp hwn.

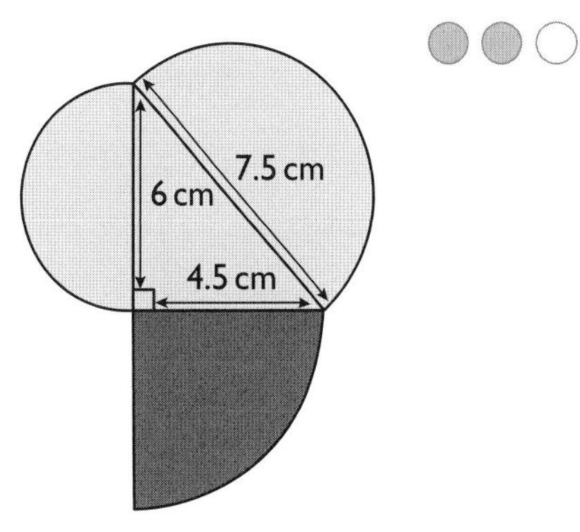

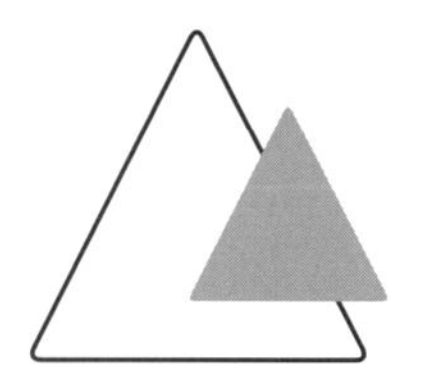

Geometreg a Mesurau Llinyn 4 Llunio Uned 2 Lluniadau â phren mesur ac onglydd

YS YMARFER SGILIAU | DH DATBLYGU HYDER | DP DATRYS PROBLEMAU | DA DULL ARHOLIAD

DP **1** Defnyddiwch bren mesur ac onglydd i luniadu'n fanwl gywir y triongl sy'n cael ei ddangos. Mesurwch hyd f.

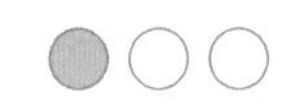

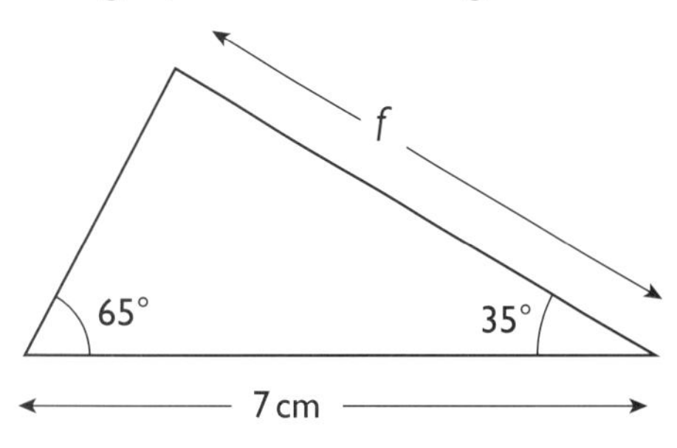

DP **2** Defnyddiwch bren mesur ac onglydd i luniadu'n fanwl gywir y triongl sy'n cael ei ddangos. Mesurwch hyd g.

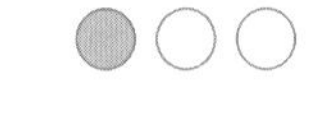

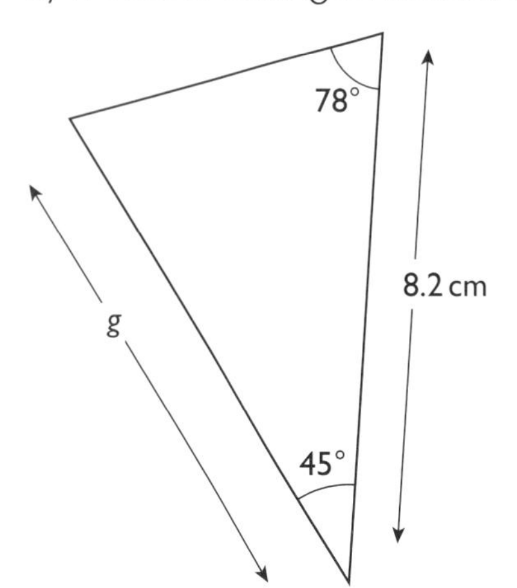

DH **3** Defnyddiwch bren mesur ac onglydd i luniadu'n fanwl gywir y triongl sy'n cael ei ddangos. Mesurwch hyd r.

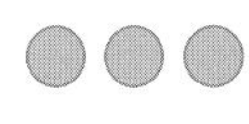

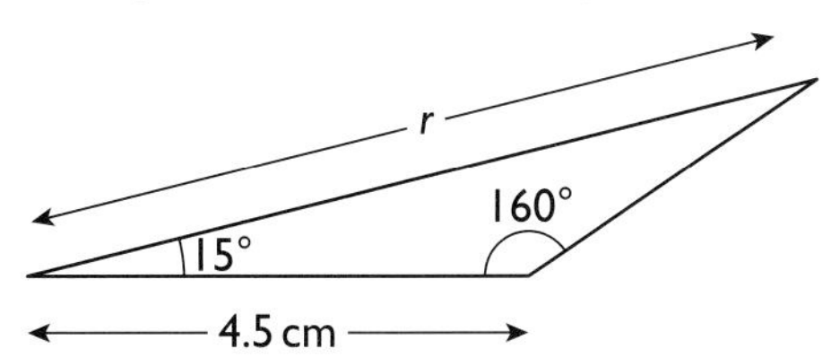

DH **4** Defnyddiwch bren mesur ac onglydd i luniadu'n fanwl gywir y triongl sy'n cael ei ddangos. Mesurwch hyd s.

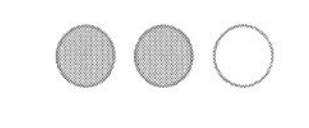

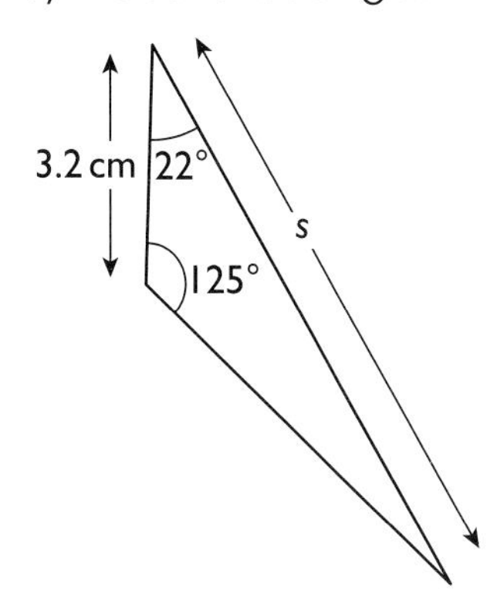

YS **5** Lluniwch rhombws sydd â hyd pob ochr yn 7 cm. Dylai'r onglau fod yn 55°, 125°, 55° a 125°.

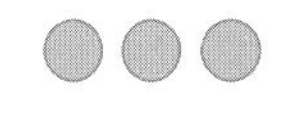

YS **6** Lluniwch baralelogram sydd â hyd ei ochrau'n 6.5 cm ac 8.2 cm. Dylai'r onglau fod yn 45°, 135°, 45° a 135°.

DA **7** Lluniadwch yn fanwl gywir y paralelogram ABCD.
Ysgrifennwch hyd y croesliniau, AC a DB.

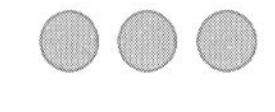

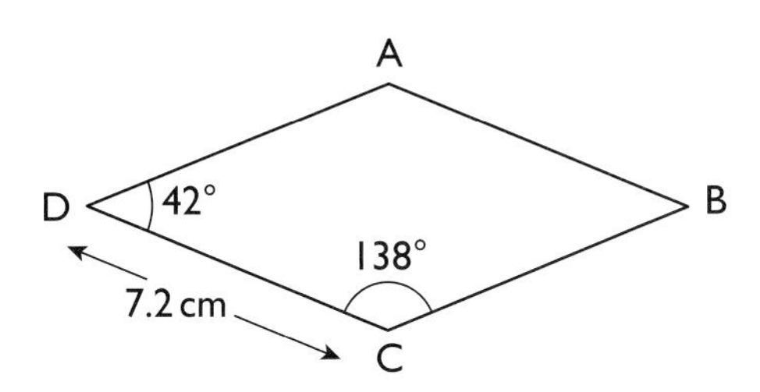

DA **8** Mae'r diagram yn dangos dau driongl ongl sgwâr.
Lluniadwch y diagram yn fanwl gywir er mwyn darganfod hyd m.

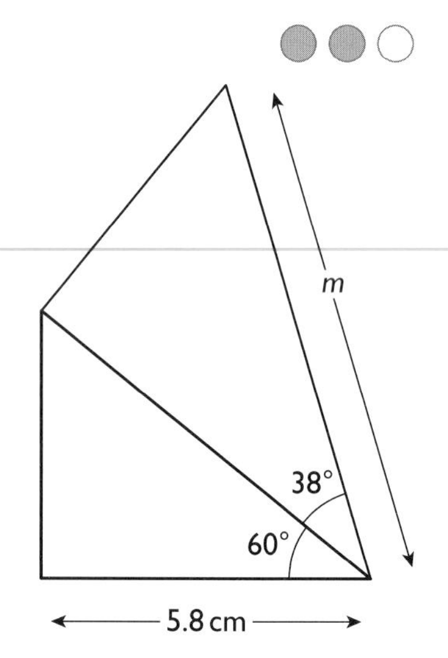

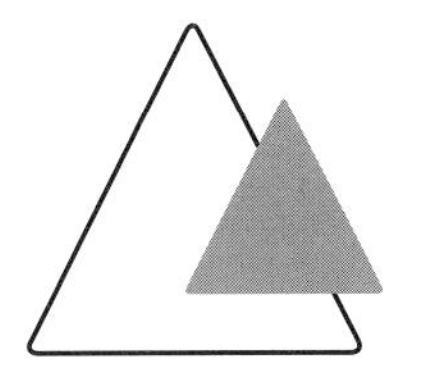

Geometreg a Mesurau Llinyn 4 Llunio Uned 3 Lluniadau â chwmpas

YS YMARFER SGILIAU | DH DATBLYGU HYDER | DP DATRYS PROBLEMAU | DA DULL ARHOLIAD

DP **1** Defnyddiwch gwmpas i lunio triongl sydd â hyd ei ochrau'n 5 cm, 6 cm ac 8 cm.

DP **2** Defnyddiwch gwmpas i lunio triongl sydd â hyd ei ochrau'n 6.2 cm, 7.1 cm a 9.4 cm.

DH **3** Dechreuwch drwy dynnu llinell sydd â'i hyd yn 8 cm.

a Gan ddefnyddio cwmpas, lluniwch ongl o 60°.

b Gan ddefnyddio cwmpas, hanerwch eich ongl o 60°.

DH **4** Dechreuwch drwy dynnu llinell sydd â'i hyd yn 10 cm.

Gan ddefnyddio cwmpas, lluniwch hanerydd perpendicwlar eich llinell 10 cm.

YS **5** Dechreuwch drwy dynnu llinell 10 cm, ond rhaid iddi beidio â bod yn llorweddol.

Nodwch bwynt rywle islaw eich llinell, o leiaf 4 cm i ffwrdd o'ch llinell.

Nawr, gan ddefnyddio cwmpas, lluniwch linell berpendicwlar o'ch pwynt i'ch llinell.

YS **6** Gan ddefnyddio cwmpas a phren mesur, lluniwch rhombws sydd â hyd ei ochrau'n 8 cm. Dylai'r onglau fod yn 60°, 120°, 60° a 120°.

DA **7** Tynnwch linell sydd â'i hyd yn 12 cm.

a Gan ddefnyddio cwmpas, lluniwch hanerydd perpendicwlar eich llinell.

b Gan ddefnyddio cwmpas, hanerwch un o'r onglau 90° sydd wedi'u ffurfio.

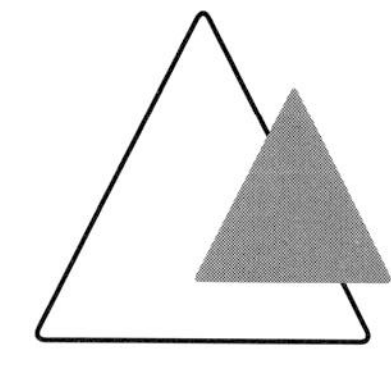

Geometreg a Mesurau Llinyn 5 Trawsffurfiadau Uned 3 Trawsfudo

YS — YMARFER SGILIAU DH — DATBLYGU HYDER DP — DATRYS PROBLEMAU DA — DULL ARHOLIAD

YS DH DP DA **1** Copïwch y diagram ac atebwch y cwestiynau.

a Trawsfudwch y triongl 2 uned i'r dde a 3 uned i lawr.

b Ysgrifennwch gyfesurynnau pob un o fertigau eich triongl wedi'i drawsfudo.

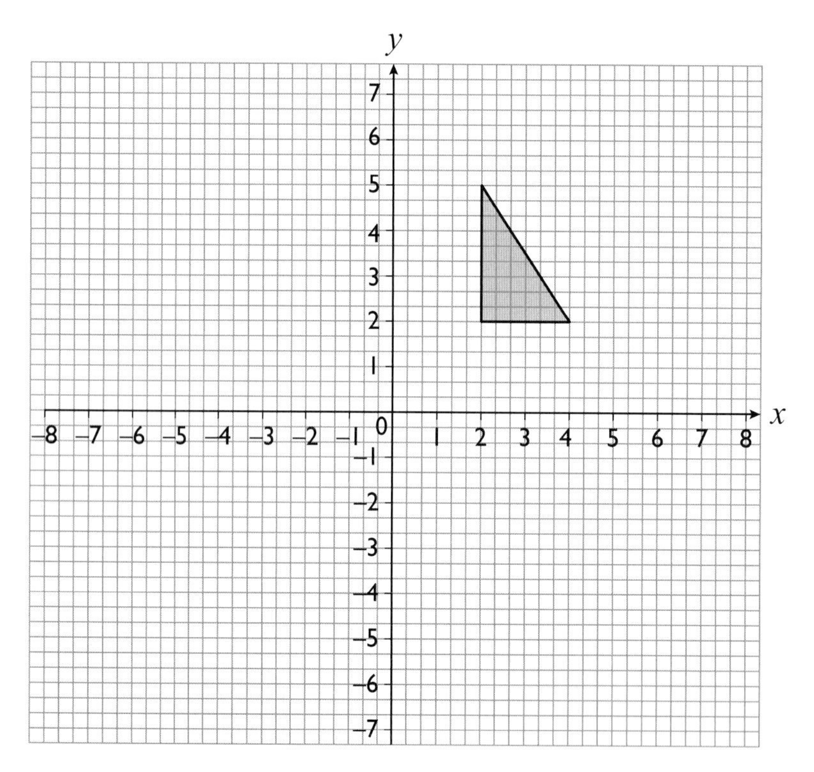

YS DH DP DA **2** Copïwch y diagram ac atebwch y cwestiynau.

a Trawsfudwch y triongl 4 uned i'r chwith a 3 uned i fyny.

b Ysgrifennwch gyfesurynnau pob un o fertigau eich triongl wedi'i drawsfudo.

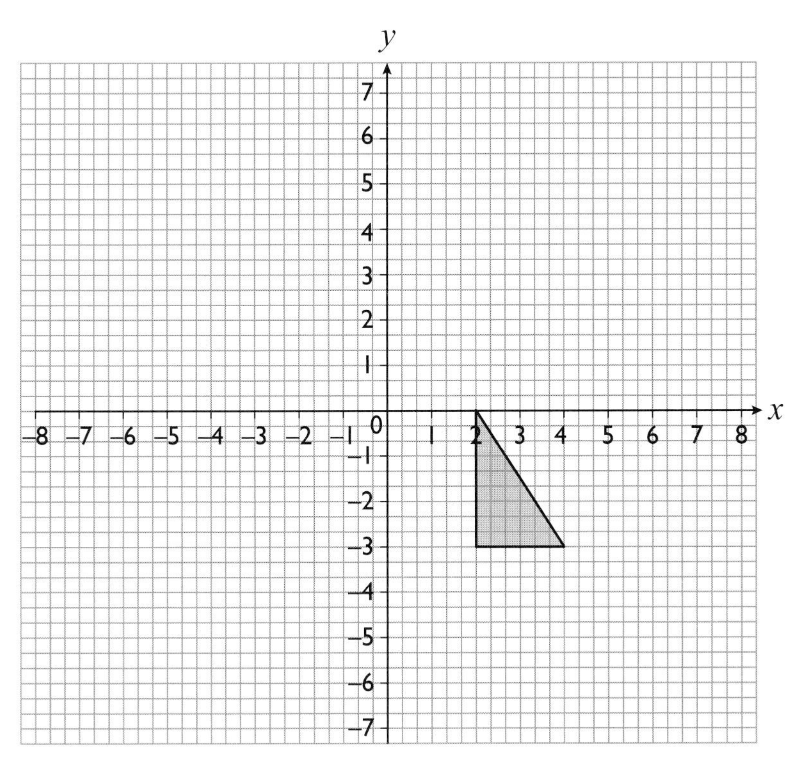

YS DH DP DA

3 Copïwch y diagram ac atebwch y cwestiynau.

a Trawsfudwch y triongl 1 uned i'r dde a 3 uned i fyny.

b Ysgrifennwch gyfesurynnau pob un o fertigau eich triongl wedi'i drawsfudo.

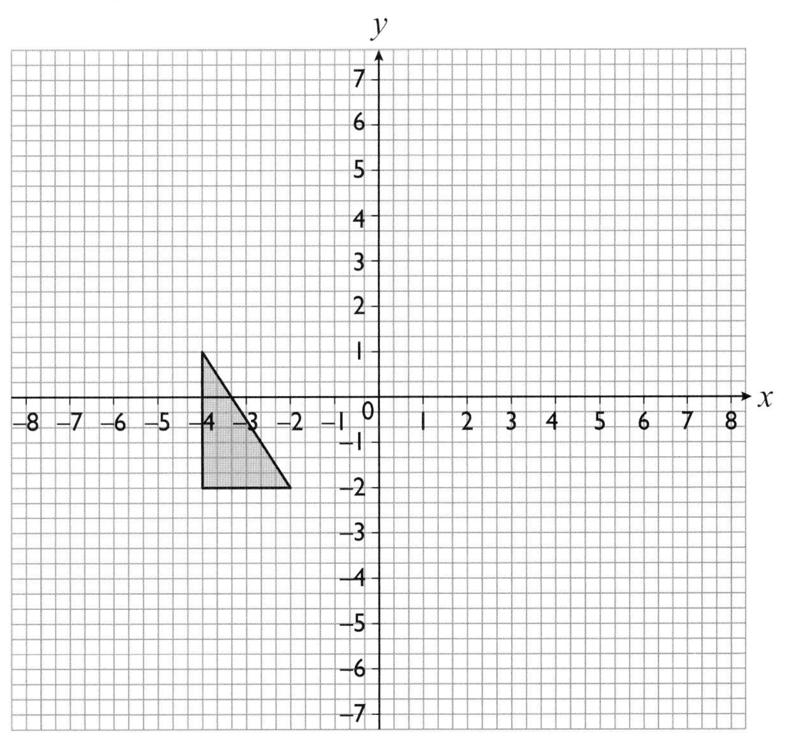

YS DH DP DA

4 Copïwch y diagram ac atebwch y cwestiynau.

a Trawsfudwch y triongl 2 uned i'r chwith ac 8 uned i fyny.

b Ysgrifennwch gyfesurynnau pob un o fertigau eich triongl wedi'i drawsfudo.

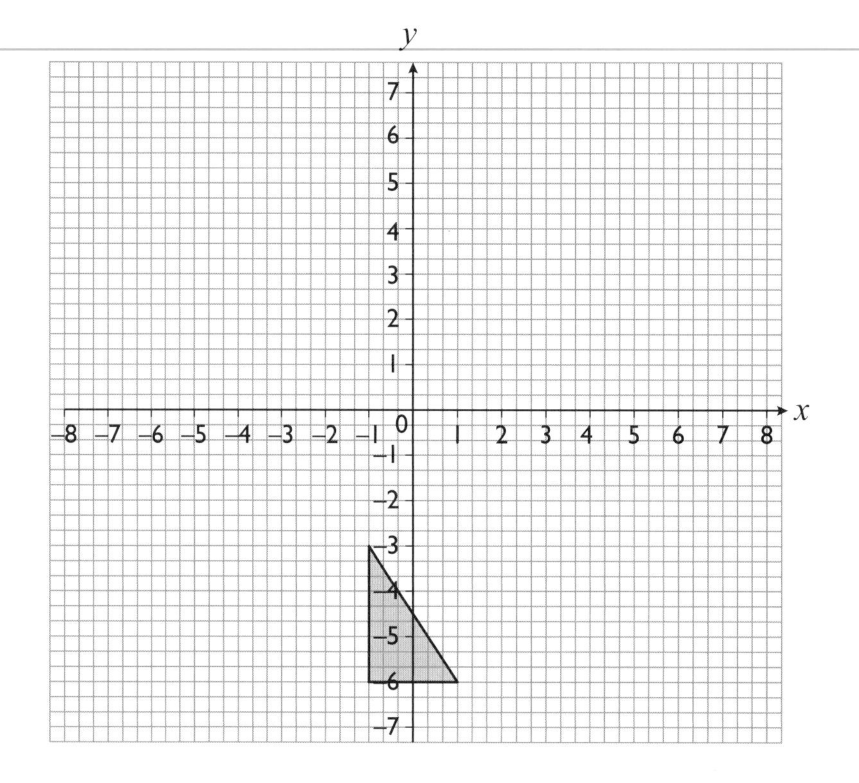

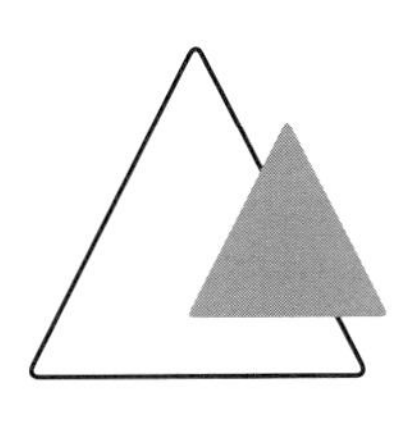

Geometreg a Mesurau
Llinyn 5 Trawsffurfiadau
Uned 4 Adlewyrchu

YS YMARFER SGILIAU — DH DATBLYGU HYDER — DP DATRYS PROBLEMAU — DA DULL ARHOLIAD

DH DP **1** Copïwch y diagram ac atebwch y cwestiynau.

a Adlewyrchwch yn yr echelin-x y triongl sy'n cael ei ddangos.

b Ysgrifennwch gyfesurynnau pob un o fertigau eich triongl wedi'i adlewyrchu.

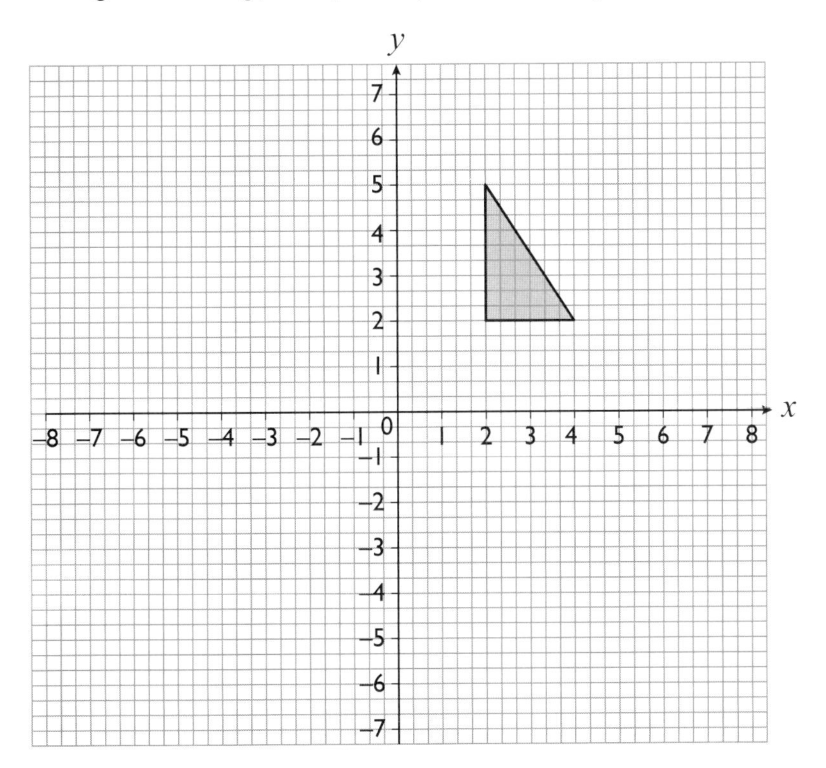

DH DP **2** Copïwch y diagram ac atebwch y cwestiynau.

a Adlewyrchwch yn yr echelin-y y triongl sy'n cael ei ddangos.

b Ysgrifennwch gyfesurynnau pob un o fertigau eich triongl wedi'i adlewyrchu.

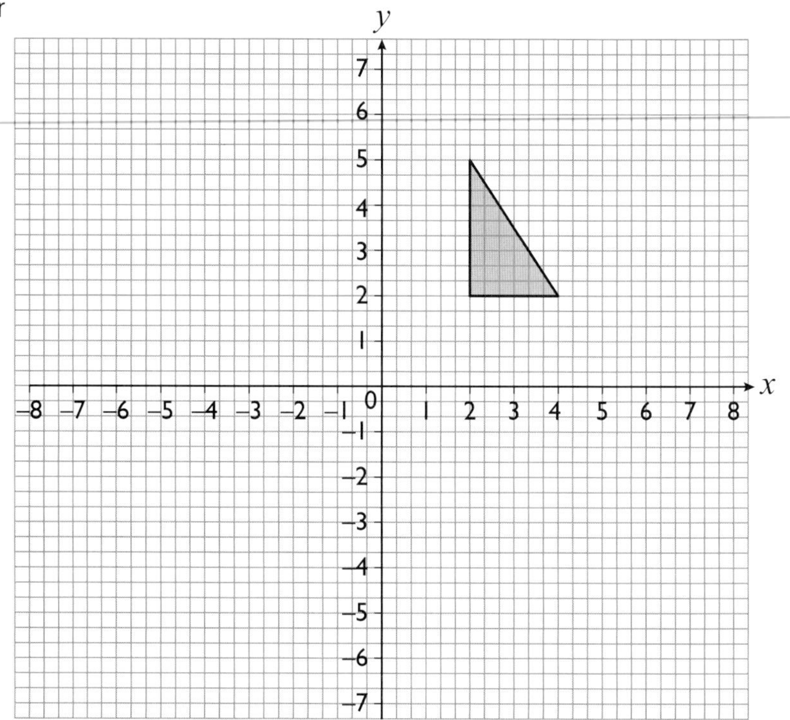

YS DA **3** Copïwch y diagram ac atebwch y cwestiynau.

a Adlewyrchwch yn y llinell $x = -1$ y triongl sy'n cael ei ddangos.

b Ysgrifennwch gyfesurynnau pob un o fertigau eich triongl wedi'i adlewyrchu.

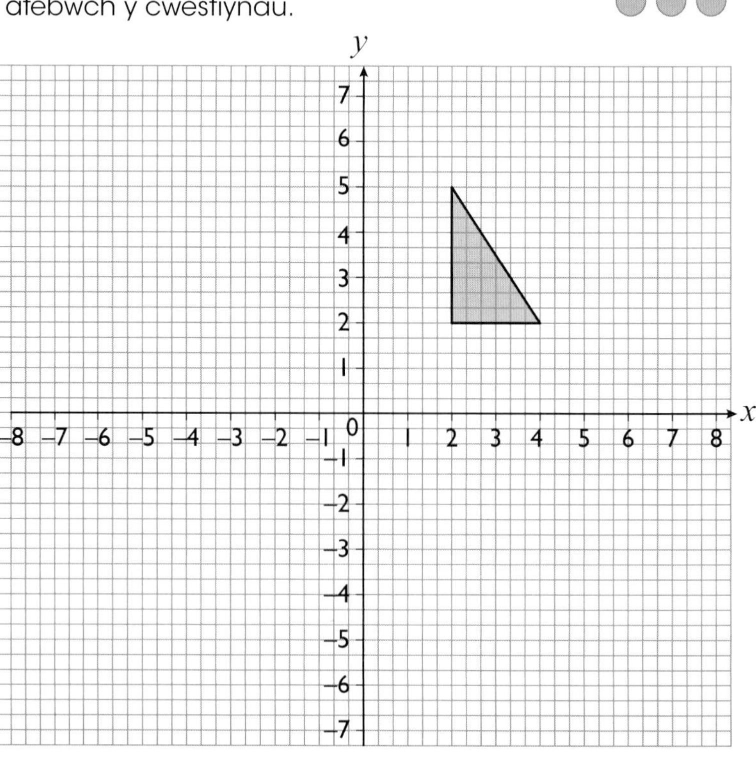

YS DA **4** Copïwch y diagram ac atebwch y cwestiynau.

a Adlewyrchwch yn y llinell $y = 1$ y triongl sy'n cael ei ddangos.

b Ysgrifennwch gyfesurynnau pob un o fertigau eich triongl wedi'i adlewyrchu.

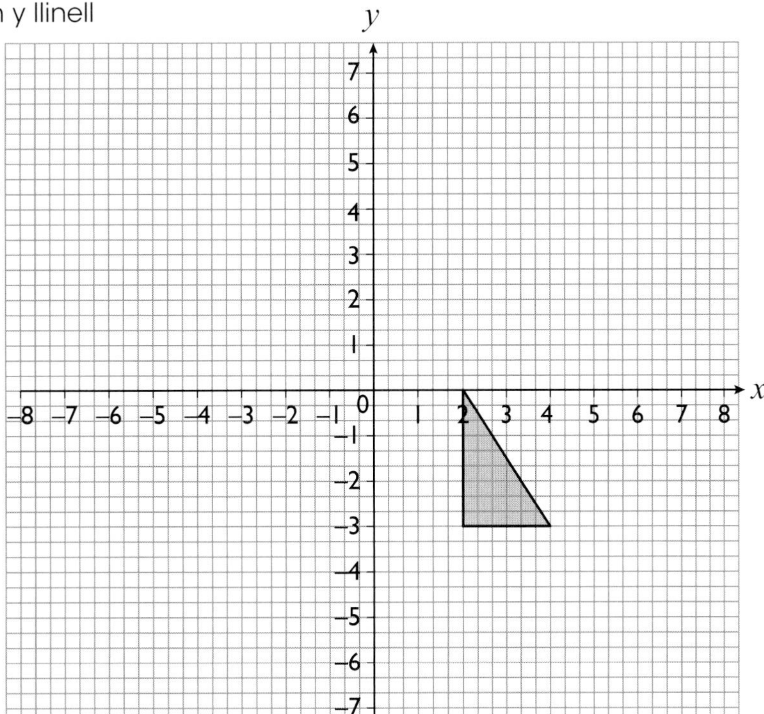

5 Copïwch y diagram ac atebwch y cwestiynau.

a Adlewyrchwch yn y llinell $y = x$ y triongl sy'n cael ei ddangos.

b Ysgrifennwch gyfesurynnau pob un o fertigau eich triongl wedi'i adlewyrchu.

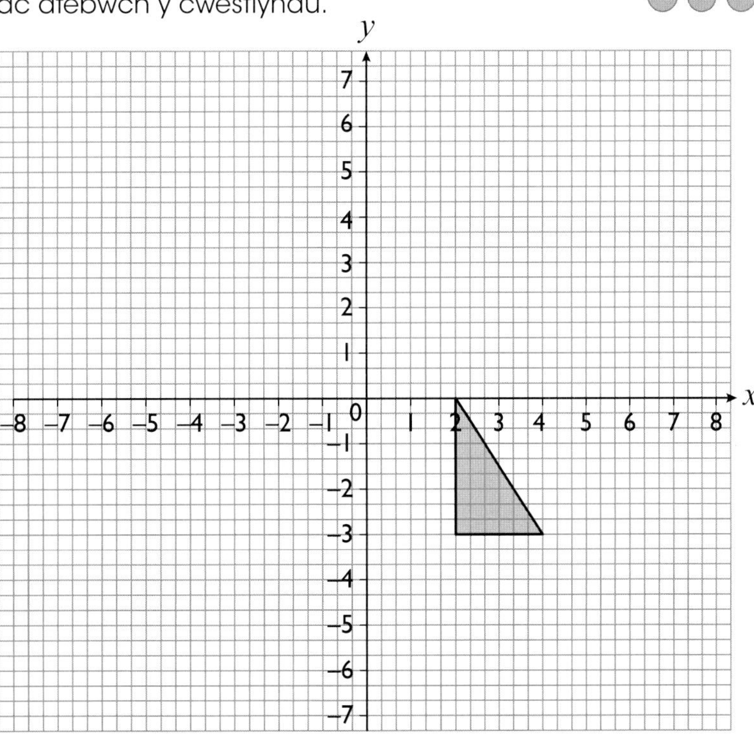

 **6** Copïwch y diagram ac atebwch y cwestiynau. 

a Adlewyrchwch yn y llinell $y = -x$ y triongl sy'n cael ei ddangos.

b Ysgrifennwch gyfesurynnau pob un o fertigau eich triongl wedi'i adlewyrchu.

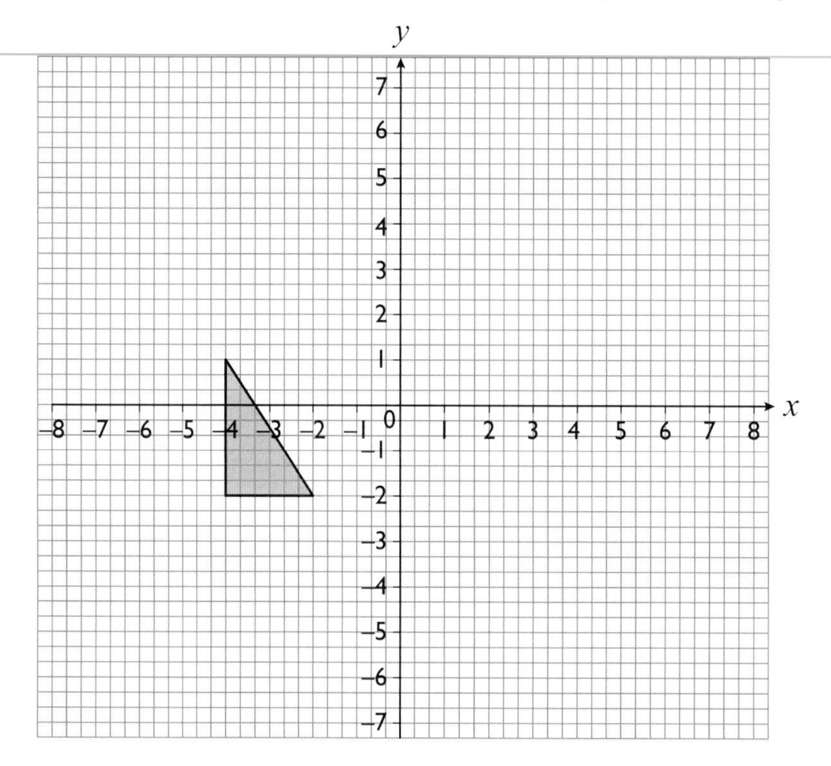

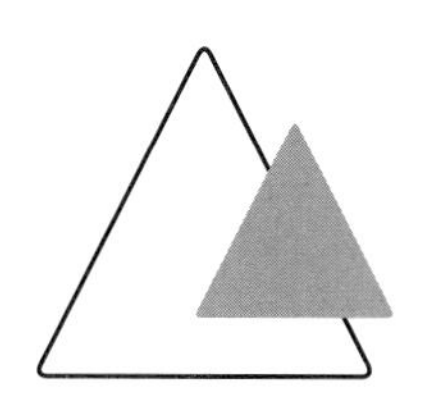

Geometreg a Mesurau Llinyn 5 Trawsffurfiadau Uned 5 Cylchdroi

YS — YMARFER SGILIAU DH — DATBLYGU HYDER DP — DATRYS PROBLEMAU DA — DULL ARHOLIAD

1 Copïwch y diagram ac atebwch y cwestiynau.

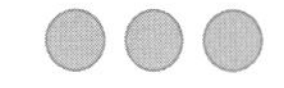

a Cylchdrowch y triongl sy'n cael ei ddangos 180° o amgylch y tarddbwynt (0, 0).

b Ysgrifennwch gyfesurynnau pob un o fertigau eich triongl wedi'i gylchdroi.

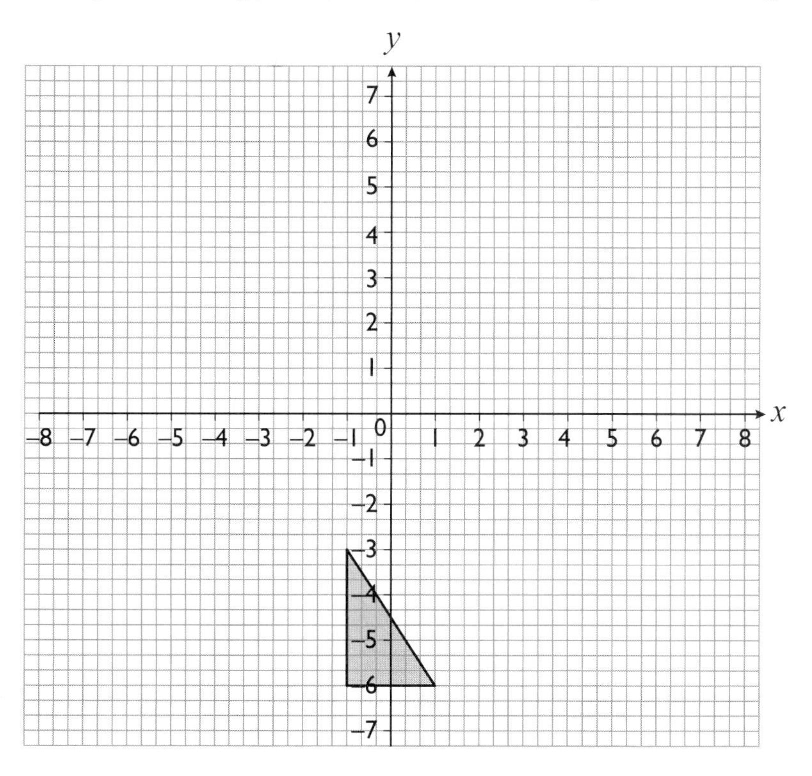

DH DP **2** Copïwch y diagram ac atebwch y cwestiynau.

a Cylchdrowch y triongl sy'n cael ei ddangos 90° yn glocwedd o amgylch y tarddbwynt (0, 0).

b Ysgrifennwch gyfesurynnau pob un o fertigau eich triongl wedi'i gylchdroi.

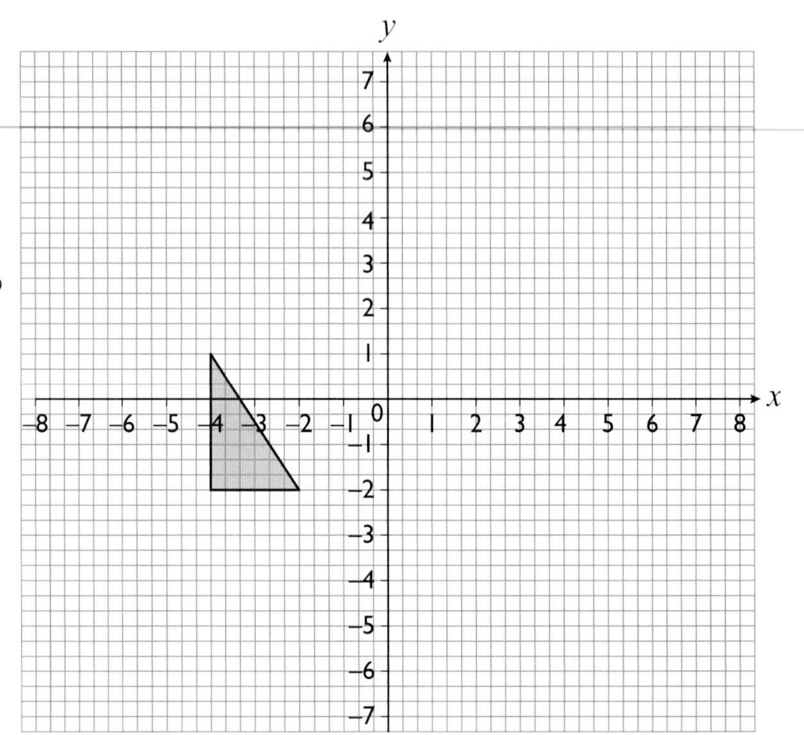

DH DP **3** Copïwch y diagram ac atebwch y cwestiynau.

a Cylchdrowch y triongl sy'n cael ei ddangos 90° yn wrthglocwedd o amgylch y tarddbwynt (0, 0).

b Ysgrifennwch gyfesurynnau pob un o fertigau eich triongl wedi'i gylchdroi.

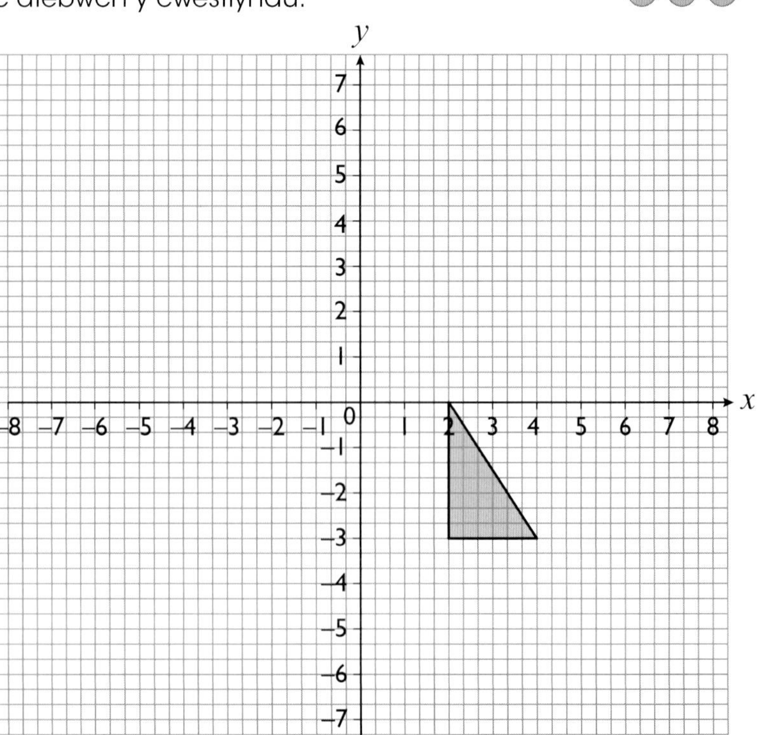

YS **4** Copïwch y diagram ac atebwch y cwestiynau. 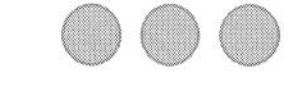

DA

a Cylchdrowch y triongl sy'n cael ei ddangos 180° o amgylch y pwynt (1, 2).

b Ysgrifennwch gyfesurynnau pob un o fertigau eich triongl wedi'i gylchdroi.

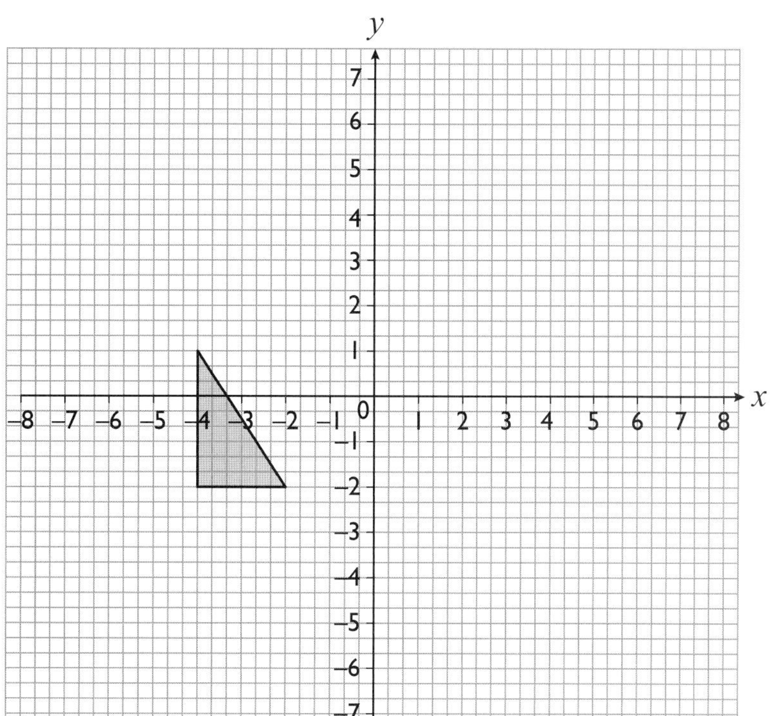

YS **5** Copïwch y diagram ac atebwch y cwestiynau.

DA

a Cylchdrowch y triongl sy'n cael ei ddangos 90° yn wrthglocwedd o amgylch y pwynt (–1, 2).

b Ysgrifennwch gyfesurynnau pob un o fertigau eich triongl wedi'i gylchdroi.

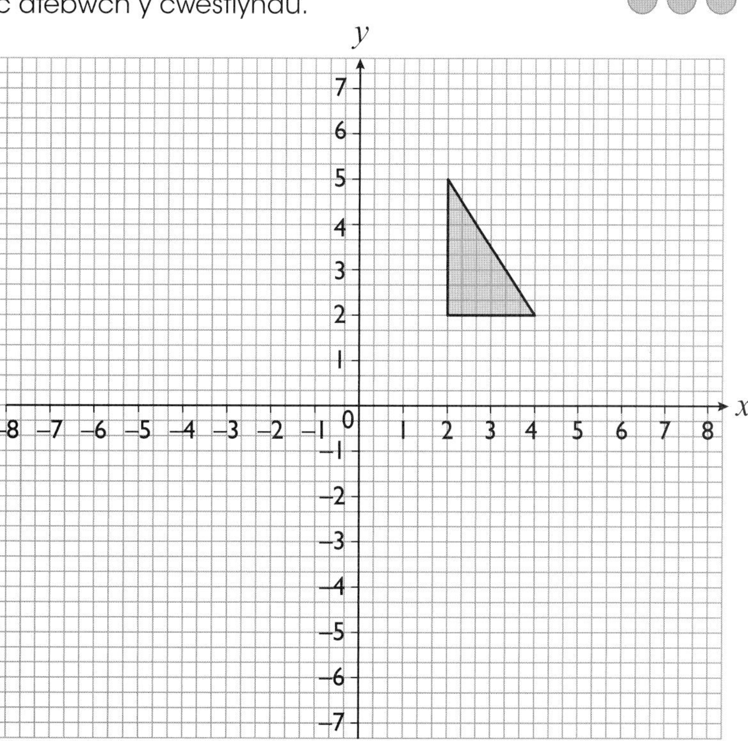

6 Copïwch y diagram ac atebwch y cwestiynau.

a Cylchdrowch y triongl sy'n cael ei ddangos 90° yn wrthglocwedd o amgylch y pwynt (−3, −2).

b Ysgrifennwch gyfesurynnau pob un o fertigau eich triongl wedi'i gylchdroi.

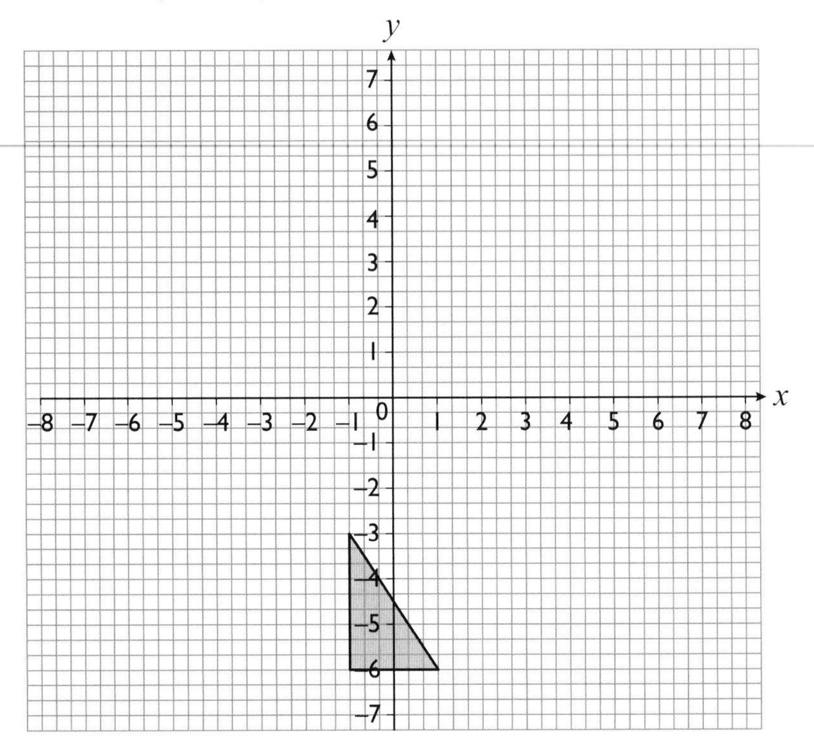

7 Copïwch y diagram ac atebwch y cwestiynau.

a Cylchdrowch y triongl sy'n cael ei ddangos 90° yn wrthglocwedd o amgylch y pwynt (−2, 1).

b Ysgrifennwch gyfesurynnau pob un o fertigau eich triongl wedi'i gylchdroi.

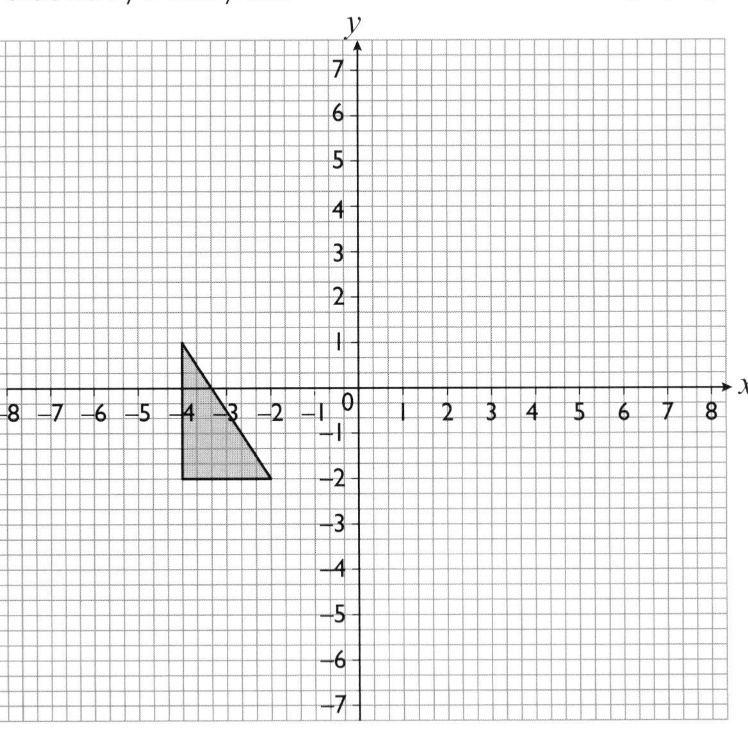

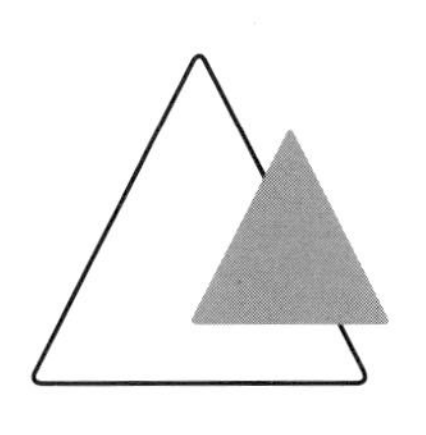

Geometreg a Mesurau
Llinyn 5 Trawsffurfiadau
Uned 6 Helaethu

YS YMARFER SGILIAU | DH DATBLYGU HYDER | DP DATRYS PROBLEMAU | DA DULL ARHOLIAD

YS **1** Dyma grid sgwariau.

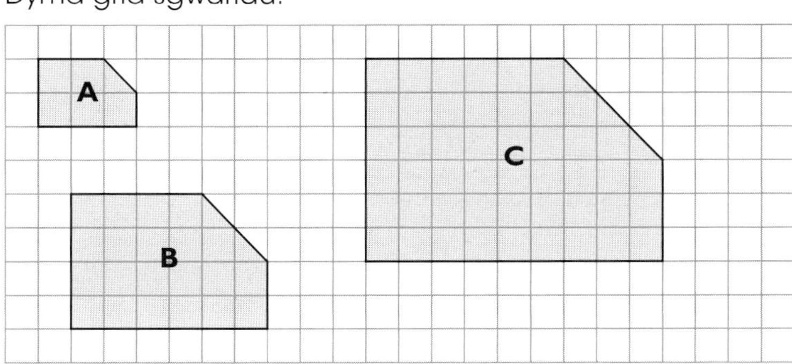

Ysgrifennwch ffactor graddfa yr helaethiad sy'n cymryd

a A i B

b A i C

c B i C.

YS **2** Helaethwch y siapiau canlynol yn ôl ffactor graddfa 2. Defnyddiwch y groes sydd i'w gweld agosaf at y siâp fel canol yr helaethiad.

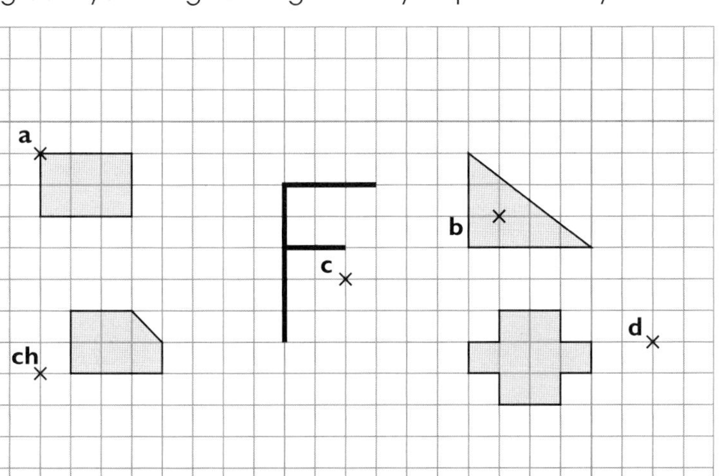

DH DP **3** Helaethwch y triongl P yn ôl

a ffactor graddfa 2 canol (−1, 0)

b ffactor graddfa 3 canol (−4, 2).

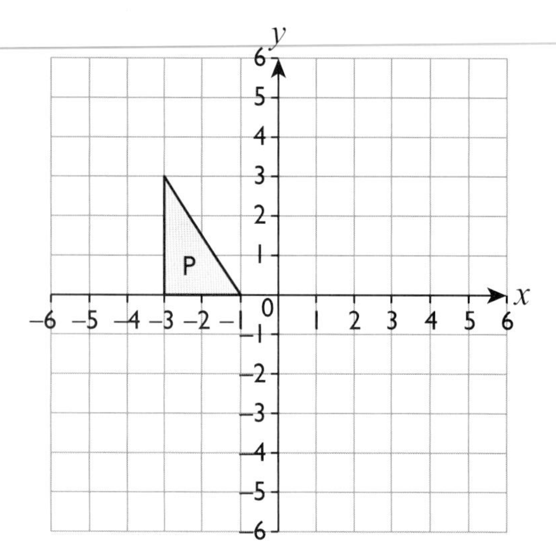

DH DP **4** Gwnewch dri chopi o'r diagram hwn. Helaethwch y triongl T yn ôl

a ffactor graddfa 3 canol (4, 3)

b ffactor graddfa 2 canol (2, 2)

c ffactor graddfa 1.5 canol (3, 1).

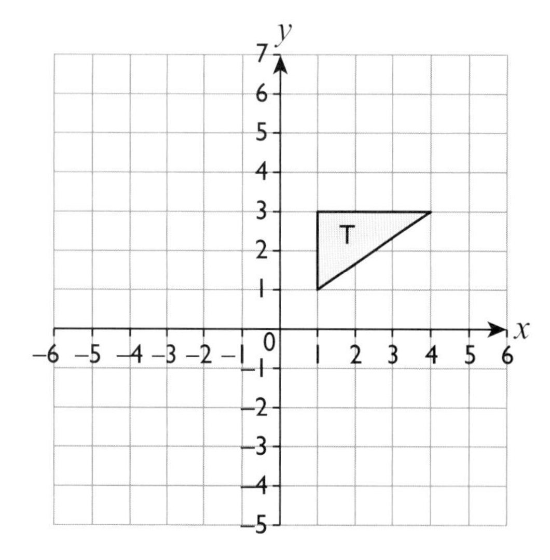

DH **5** Disgrifiwch yn llawn y trawsffurfiad sengl sy'n mapio

a triongl T i driongl Q

b triongl T i driongl R.

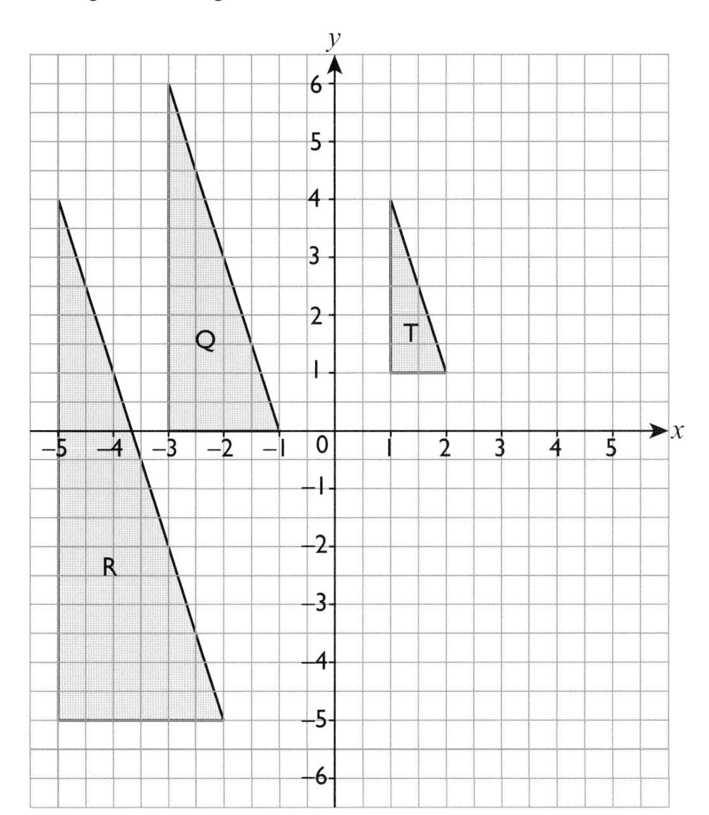

DP DA **6** Dyma ffotograff bach. Mae'r ffotograff bach yn cael ei helaethu yn ôl ffactor graddfa 3 i wneud ffotograff mawr.

Beth yw perimedr y ffotograff mawr?

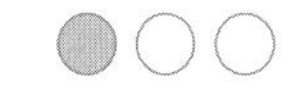

7 Dyma ffotograff. Mae Jill yn gwneud helaethiadau o'r ffotograff.

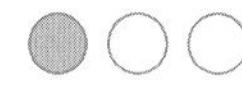

6 cm

8 cm

Helaethiad A

32 cm

Helaethiad B

16 cm

a Darganfyddwch ffactor graddfa Helaethiad A.

b Darganfyddwch led Helaethiad A.

c Cyfrifwch berimedr Helaethiad B.

8 Mae gan Dilys ddarlun mae hi eisiau ei roi mewn ffrâm ffotograff. Hyd y ffotograff yw 5 cm a'i led yw 3 cm. Hyd y ffrâm ffotograff yw 17.5 cm. Mae hi'n mynd i helaethu'r ffotograff i ffitio yn y ffrâm.

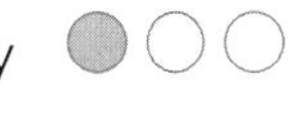

Pa led mae'n rhaid i'r ffrâm fod er mwyn i'r ffotograff wedi'i helaethu allu ffitio ynddi?

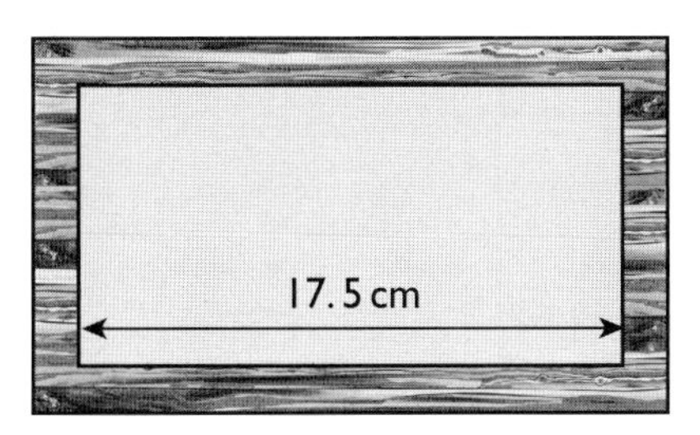

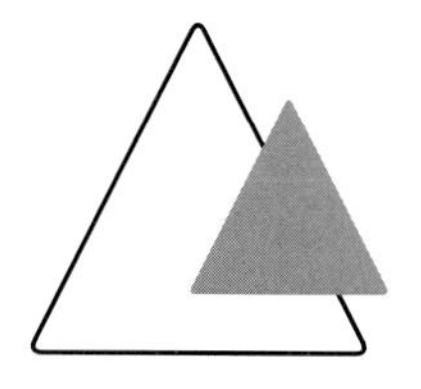

Geometreg a Mesurau
Llinyn 6 Siapiau tri dimensiwn
Uned 2 Deall rhwydi

1 Dyma rwyd solid 3D.

a Ysgrifennwch enw'r solid.

b Lluniadwch fraslun 3D o'r solid.

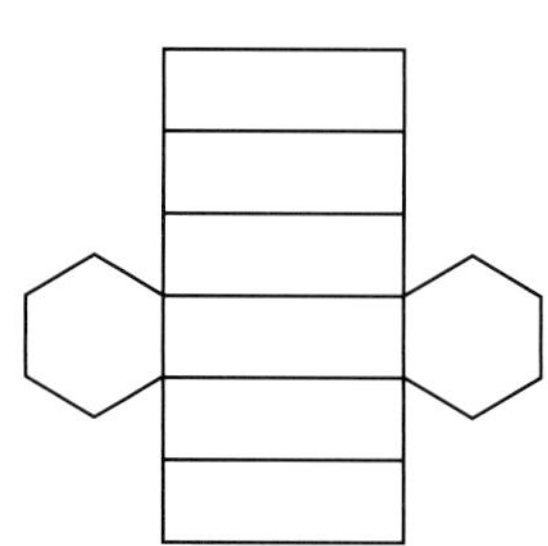

2 Dyma siâp 3D.

a Ysgrifennwch enw'r siâp.

b Lluniadwch rwyd y siâp.

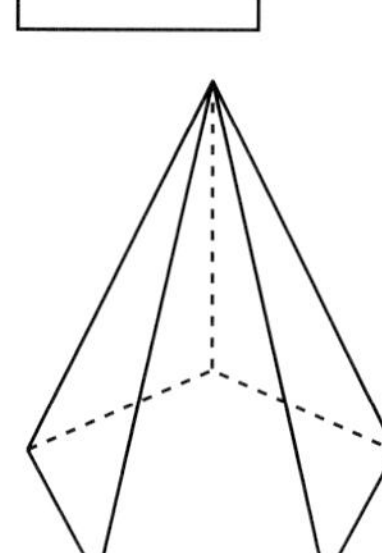

3 Dyma siâp 3D.

a Ysgrifennwch enw'r siâp.

b Ysgrifennwch nifer

i yr ymylon

ii y fertigau

iii yr wynebau.

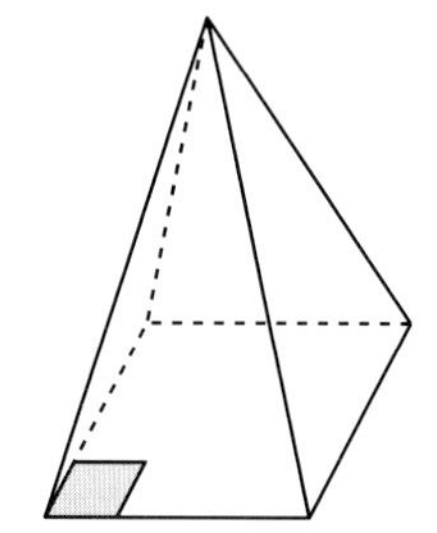

4 Dyma rwyd ciwb. Mae croes wedi'i nodi ar un o'r fertigau. Pan fydd y rhwyd yn cael ei gwneud yn giwb, pa gornel arall sy'n cwrdd â'r un sydd â'r groes?

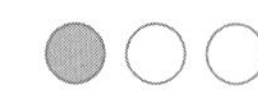
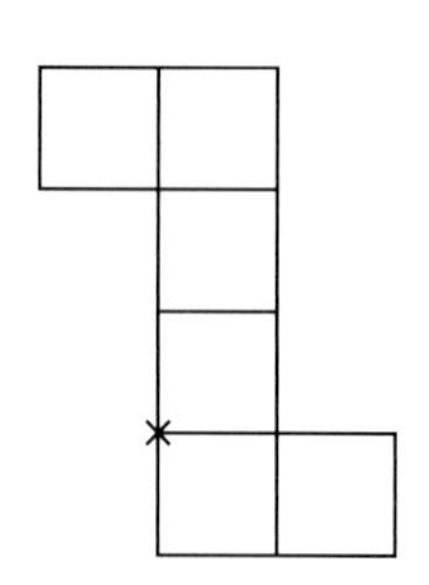

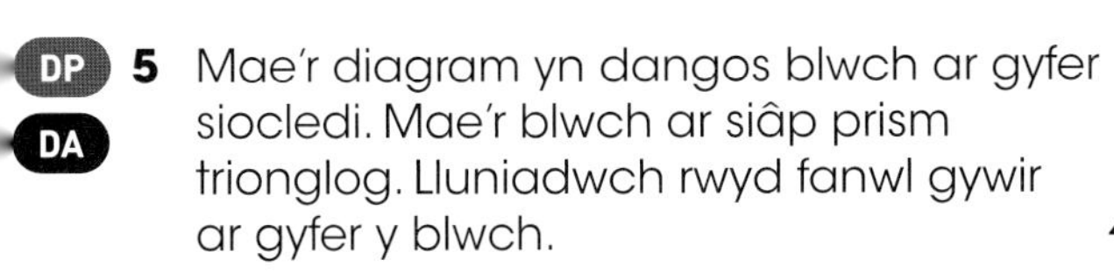

DP DA **5** Mae'r diagram yn dangos blwch ar gyfer siocledi. Mae'r blwch ar siâp prism trionglog. Lluniadwch rwyd fanwl gywir ar gyfer y blwch.

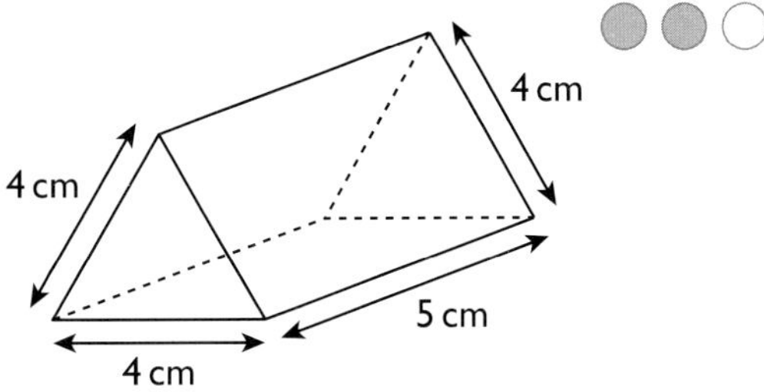

DH DA **6** Mae blwch ar siâp ciwboid sydd â'i

hyd yn 5 cm
lled yn 3 cm
uchder yn 2 cm.
Lluniadwch rwyd fanwl gywir o'r ciwboid.

DP DA **7** Mae bar siocled ar siâp prism trionglog. Mae papur lapio yn cuddio tri wyneb petryal y bar siocled. Mae fflap ychwanegol o 1 cm ar y papur lapio.

Cyfrifwch hyd y papur lapio.

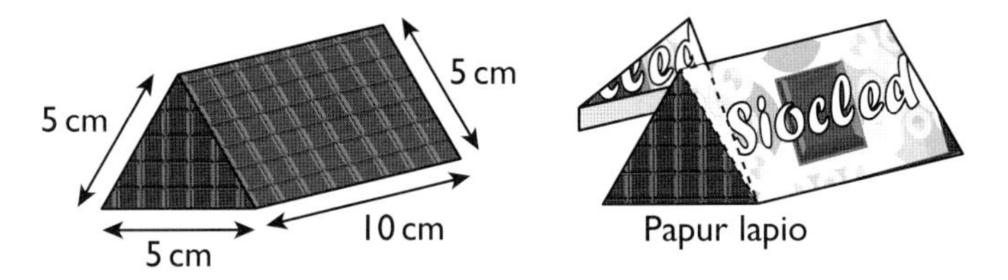

DH **8** Mae gan giwb 6 wyneb gwahanol.

Lluniadwch rwyd i ddangos yr wynebau yn eu safle ar y ciwb.

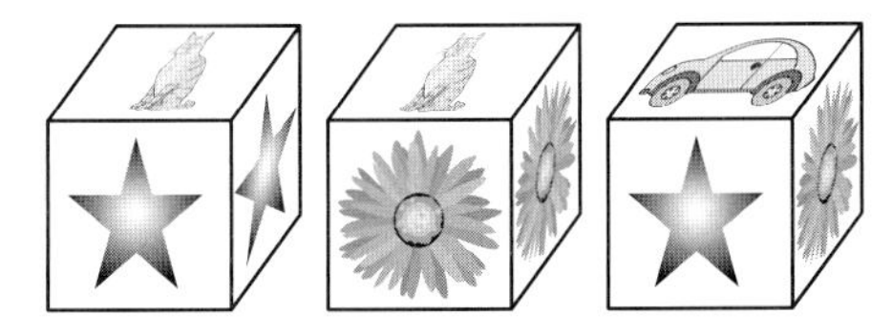

DP **9** Mae Idris yn gludo rhuban o gornel uchaf, P, ciwboid i gornel isaf, R, y ciwboid. Mae PR yn llinell syth.

Darganfyddwch, drwy luniadu, hyd y rhuban PR.

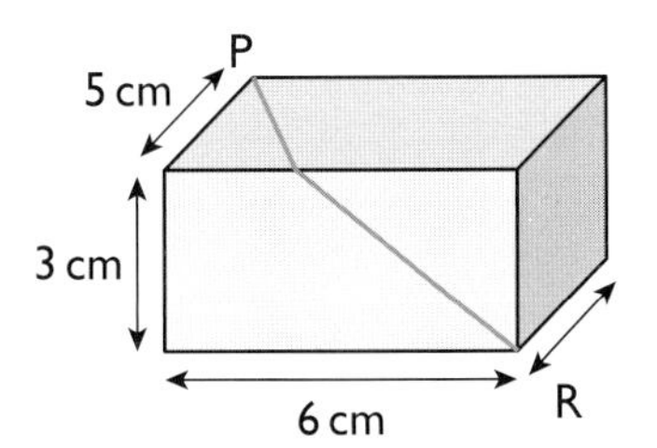

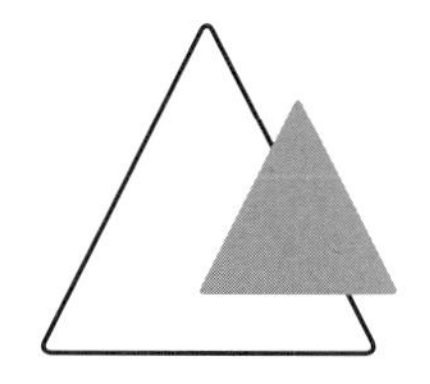

Geometreg a Mesurau Llinyn 6 Siapiau tri dimensiwn Uned 3 Cyfaint ac arwynebedd arwyneb ciwboidau

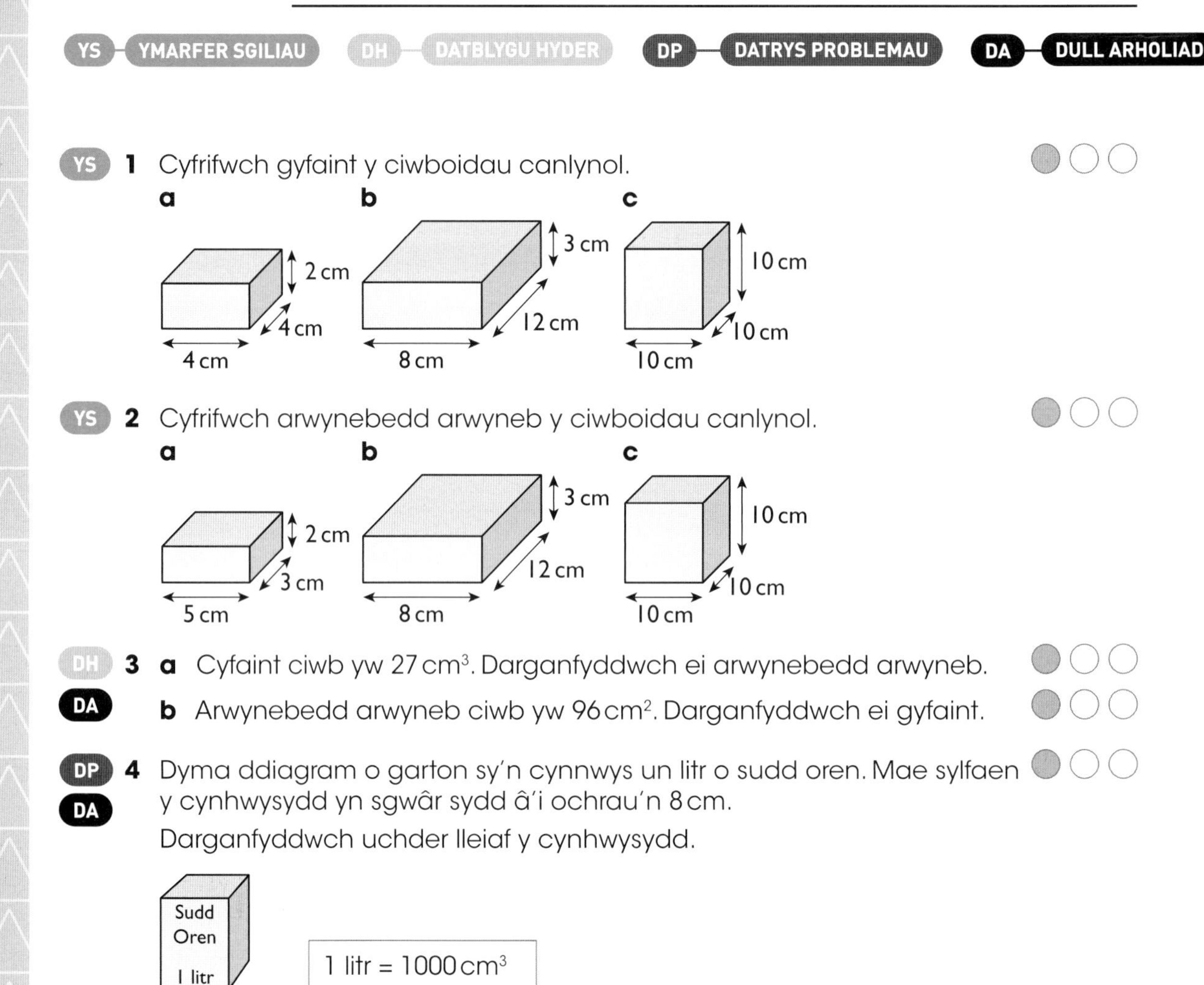

YS **1** Cyfrifwch gyfaint y ciwboidau canlynol.

a **b** **c**

YS **2** Cyfrifwch arwynebedd arwyneb y ciwboidau canlynol.

a **b** **c**

DH **3** **a** Cyfaint ciwb yw $27\,\text{cm}^3$. Darganfyddwch ei arwynebedd arwyneb.

DA **b** Arwynebedd arwyneb ciwb yw $96\,\text{cm}^2$. Darganfyddwch ei gyfaint.

DP DA **4** Dyma ddiagram o garton sy'n cynnwys un litr o sudd oren. Mae sylfaen y cynhwysydd yn sgwâr sydd â'i ochrau'n 8 cm.

Darganfyddwch uchder lleiaf y cynhwysydd.

1 litr = $1000\,\text{cm}^3$

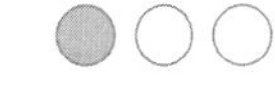

5 Mae gan Dylan flwch o frics tegan. Mae pob un o'r brics tegan yn giwb sydd â'i ochrau'n 5 cm.
Mae'r blwch yn llawn brics tegan.

Beth yw'r nifer mwyaf o frics tegan sy'n gallu ffitio i mewn i'r blwch?

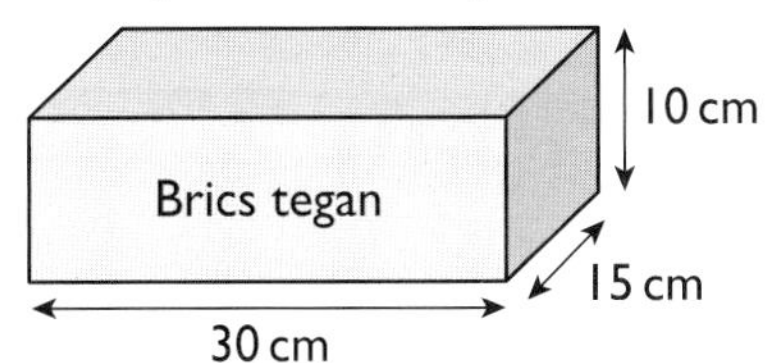

6 Mae te yn cael ei werthu mewn blychau. Uchder y blychau yw 12 cm. Mae'r sylfaen yn sgwâr sydd â'i ochrau'n 5 cm. Mae'r blychau o de yn cael eu dosbarthu i siopau mewn cartonau. Mae'r cartonau'n giwboidau sydd â'u hyd yn 60 cm, eu lled yn 30 cm a'u huchder yn 36 cm.

Cyfrifwch y nifer mwyaf o flychau o de fydd yn ffitio i mewn i un carton.

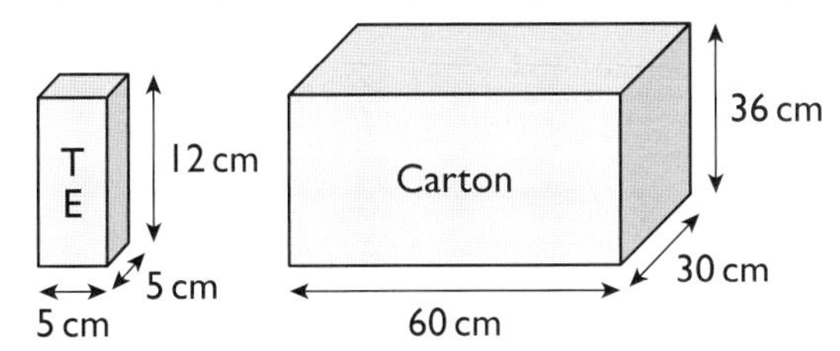

7 Mae tanc olew ar siâp ciwboid. Mae'r tanc olew yn 2.5 m wrth 1.5 m wrth 60 cm.

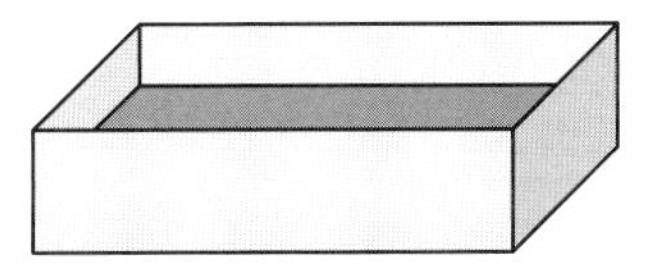

a Darganfyddwch gyfaint y tanc olew.

Mae'r tanc olew yn hanner llawn o olew.

b Faint o olew mae angen ei ychwanegu at y tanc er mwyn ei lenwi'n llwyr?

$1\ m^3 = 1000$ o litrau

8 Mae Owain yn mynd i beintio ei bwll nofio. Mae'r pwll ar dir gwastad ac mae ar siâp ciwboid. Mae e'n mynd i beintio'r pedwar wyneb allanol a phob un o'r wynebau mewnol.

Dimensiynau'r pwll yw 15 m wrth 8 m wrth 1.2 m. Mae 1 litr o'r paent mae Owain yn mynd i'w ddefnyddio yn ddigon ar gyfer 15 m^2.
Faint o litrau o baent bydd angen i Owain eu prynu?

9 Mae Delyth yn dylunio blwch sydd â chlawr. Mae'r blwch yn mynd i ddal disgiau pren sydd â'u diamedr yn 6 cm a'u huchder yn 0.5 cm. Rhaid i flwch Delyth ddal hyd at 120 o ddisgiau.

Cyfrifwch ddimensiynau blwch y gallai Delyth ei ddefnyddio.

10 Mae gan Catrin sied sydd â tho gwastad. Mae'r to yn betryal sydd â'i hyd yn 1.8 m a'i led yn 1.2 m. Un noson gwnaeth 2.5 cm o law ddisgyn ar y to a chael ei gasglu mewn cynhwysydd sydd ar siâp ciwboid. Uchder y cynhwysydd yw 1.5 m ac mae ganddo sylfaen sgwâr sydd â hyd yr ochrau'n 30 cm. Ddechrau'r nos roedd 10 cm o law yn y cynhwysydd.

Cyfrifwch uchder y dŵr yn y cynhwysydd ddiwedd y nos.

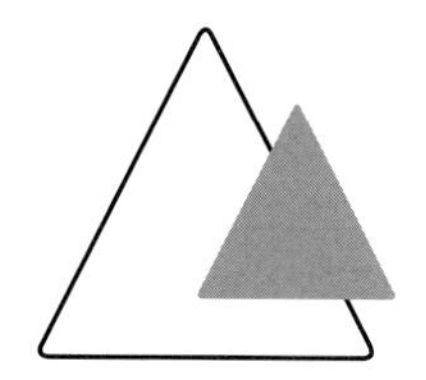

Geometreg a Mesurau Llinyn 6 Siapiau tri dimensiwn Uned 4 Cynrychioliadau 2D o siapiau 3D

DH — DATBLYGU HYDER   DP — DATRYS PROBLEMAU

DP **1** Dyma luniad 3D o garej Graham. Mae'r blaenolwg a'r cefnolwg yn betryalau. Mae'r ddau wyneb fertigol arall yn drapesiymau.

Ar bapur sgwariau, gan ddefnyddio'r raddfa 1 cm yn cynrychioli 1 m

a lluniadwch uwcholwg y garej

b lluniadwch flaenolwg y garej

c lluniadwch ochrolwg y garej o'r cyfeiriad sy'n cael ei ddangos gan y saeth.

DH **2** Dyma rai siapiau mathemategol. Mae gan bob un sylfaen sgwâr sydd â hyd yr ochrau'n 5 cm. Ar bapur sgwariau brasluniwch, ar gyfer pob siâp,

a yr uwcholwg

b y blaenolwg

c yr ochrolwg.

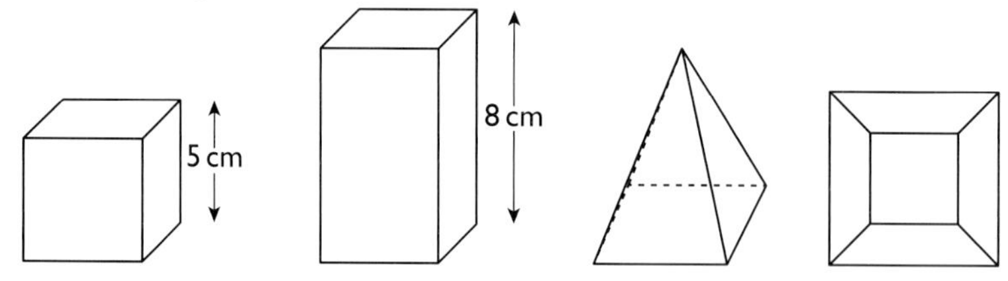

YS DA **3** Dyma uwcholwg, blaenolwg ac ochrolwg siâp 3D. Lluniadwch fraslun o'r siâp 3D.

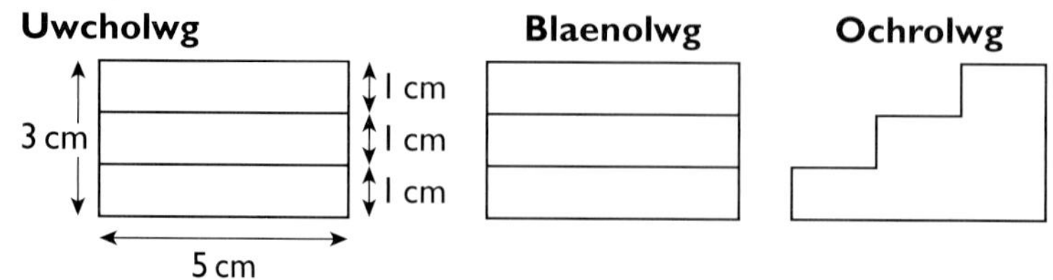

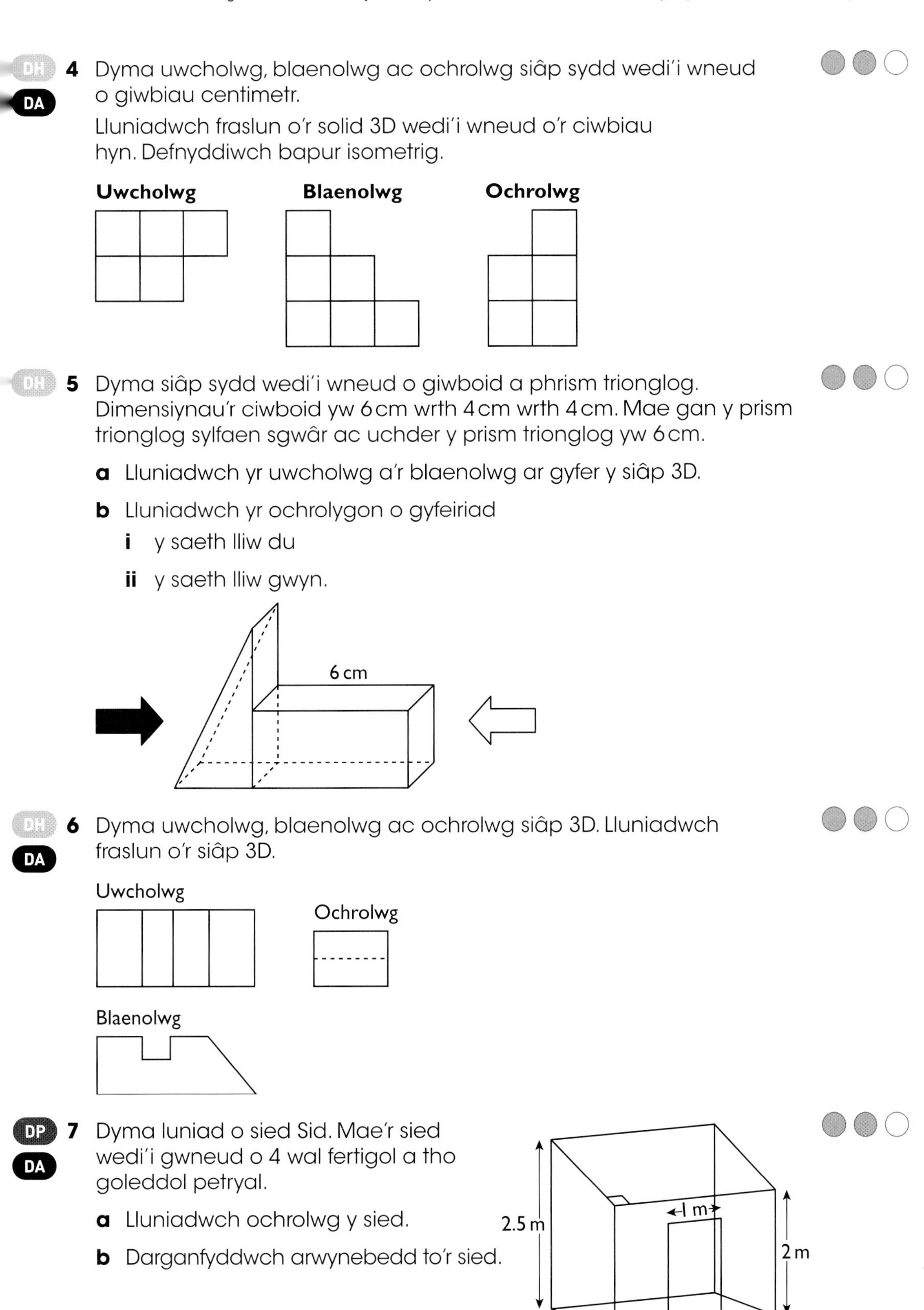

DH DA **4** Dyma uwcholwg, blaenolwg ac ochrolwg siâp sydd wedi'i wneud o giwbiau centimetr.

Lluniadwch fraslun o'r solid 3D wedi'i wneud o'r ciwbiau hyn. Defnyddiwch bapur isometrig.

DH **5** Dyma siâp sydd wedi'i wneud o giwboid a phrism trionglog. Dimensiynau'r ciwboid yw 6 cm wrth 4 cm wrth 4 cm. Mae gan y prism trionglog sylfaen sgwâr ac uchder y prism trionglog yw 6 cm.

a Lluniadwch yr uwcholwg a'r blaenolwg ar gyfer y siâp 3D.

b Lluniadwch yr ochrolygon o gyfeiriad

i y saeth lliw du

ii y saeth lliw gwyn.

DH DA **6** Dyma uwcholwg, blaenolwg ac ochrolwg siâp 3D. Lluniadwch fraslun o'r siâp 3D.

DP DA **7** Dyma luniad o sied Sid. Mae'r sied wedi'i gwneud o 4 wal fertigol a tho goleddol petryal.

a Lluniadwch ochrolwg y sied.

b Darganfyddwch arwynebedd to'r sied.

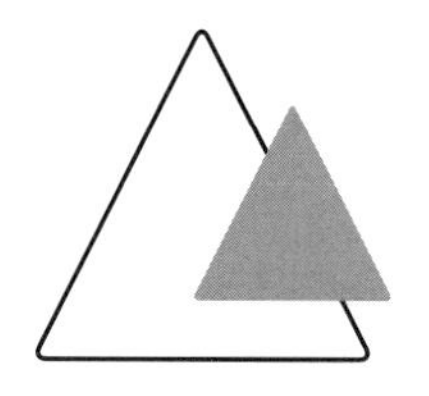

Ystadegaeth a Thebygolrwydd Llinyn 1 Mesurau ystadegol Uned 3 Defnyddio tablau amlder

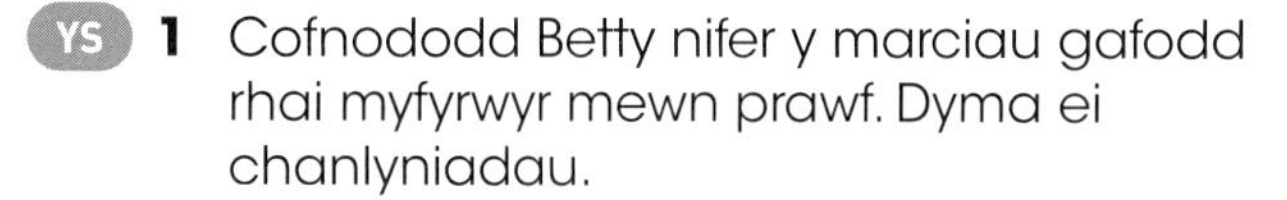

YS **1** Cofnododd Betty nifer y marciau gafodd rhai myfyrwyr mewn prawf. Dyma ei chanlyniadau.

Nifer y marciau	Amlder
7	4
8	14
9	8
10	6

a Faint o fyfyrwyr safodd y prawf?

b Ysgrifennwch y modd.

c Darganfyddwch y canolrif.

ch Cyfrifwch y cymedr.

YS **2** Cofnododd gyrrwr tacsi nifer y bobl a gludodd ar gyfer pob un o 30 taith. Dyma ei ganlyniadau.

Nifer y bobl	Amlder
1	15
2	9
3	6

a Ysgrifennwch y modd.

b Darganfyddwch y canolrif.

c Cyfrifwch gyfanswm y bobl gafodd eu cludo.

ch Cyfrifwch y cymedr.

DH **3** Dyma nifer yr wyau ym mhob un o 29 o nythod adar y to.

2	3	5	5	3	5	2	4	5	4
3	4	4	2	4	3	5	5	4	4
4	3	5	4	4	3	3	2	5	

a Lluniwch dabl amlder ar gyfer y data hyn.

b Lluniadwch siart bar ar gyfer eich tabl amlder.

c Ysgrifennwch y modd.

ch Cyfrifwch y cymedr. Rhowch eich ateb yn gywir i 2 le degol.

DH **4** Mae Hoeg yn gwerthu crysau. Mae'r tabl yn rhoi gwybodaeth am y crysau werthodd ef ddydd Gwener a dydd Sadwrn.

Maint y coler	Amlder ddydd Gwener	Amlder ddydd Sadwrn
14	4	0
$14\frac{1}{2}$	7	9
15	17	15
$15\frac{1}{2}$	32	28
16	30	37
$16\frac{1}{2}$	16	19

a Ar ba ddiwrnod y gwerthodd Hoeg y mwyaf o grysau?

b Ar gyfer pob diwrnod

i ysgrifennwch y modd

ii darganfyddwch yr amrediad.

c Cymharwch y moddau a'r amrediadau ar gyfer y ddau ddiwrnod hyn.

ch Lluniwch dabl amlder ar gyfer data dydd Gwener a dydd Sadwrn gyda'i gilydd.

d Defnyddiwch eich tabl amlder i ddarganfod y maint coler canolrifol ar gyfer y data cyfunol.

DH DA **5** Mae'r siart bar yn rhoi gwybodaeth am nifer y llythyrau gafodd Fritz ar bob un o 25 diwrnod.

a Lluniwch dabl amlder ar gyfer y wybodaeth hon.

b Cyfrifwch gyfanswm y llythyrau gafodd Fritz.

c Cyfrifwch y nifer cymedrig o lythyrau bob diwrnod.

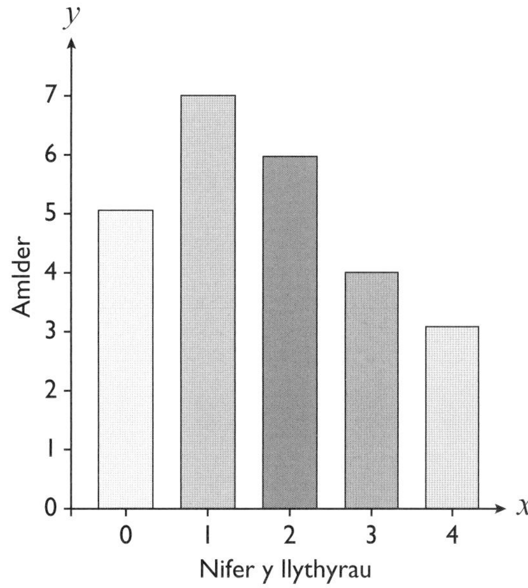

 **6** Gofynnodd rhywun i 75 gwryw a 75 benyw roi sgôr rhwng 1 a 5 i ffilm. Sgôr o 5 sy'n cynrychioli'r radd uchaf. Dyma'r canlyniadau. 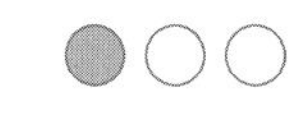

Gwrywod	
Sgôr	**Amlder**
1	5
2	11
3	22
4	29
5	8

Benywod	
Sgôr	**Amlder**
1	2
2	15
3	19
4	35
5	4

a Darganfyddwch y modd, y canolrif a'r cymedr ar gyfer y gwrywod ac ar gyfer y benywod.

b Mae Sam yn dweud: 'Ar gyfartaledd roedd y gwrywod yn hoffi'r ffilm yn fwy na'r benywod.' Ydy hi'n iawn? Rhowch reswm dros eich ateb.

 **7** Mae Naveed yn cofnodi nifer y llyfrau stampiau mae e'n eu gwerthu. Ddydd Llun gwerthodd ef: 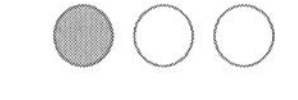

1 llyfr stampiau i bob un o 8 person

2 lyfr stampiau i bob un o 14 person

3 llyfr stampiau i bob un o 23 person.

Hefyd gwerthodd Naveed 4 llyfr stampiau i nifer o bobl eraill a chadw cofnod. Nid yw'n gallu darllen yr hyn a gofnododd. Mae e'n gwybod ei fod wedi gwerthu cyfanswm o 125 o lyfrau stampiau ddydd Llun.

Cyfrifwch nifer y bobl y gwerthodd Naveed 4 llyfr stampiau iddyn nhw.

DP **8** Rheolwr siop goffi yw Bryn. Mae'r tabl yn rhoi rhywfaint o wybodaeth am y diodydd werthodd ef ddydd Iau.

Diod	Cost	Amlder
Coffi	£2.99	62
Te	£1.99	49
Diod oren	£1.25	25
Sudd oren	£2.49	12
Sudd cyrens duon	£1.25	20

a Cyfrifwch amrediad y costau.

Mae Bryn yn gwneud elw os yw'r cyfanswm mae e'n ei gael o werthu diodydd yn fwy na £200.

b Ydy Bryn yn gwneud elw? Faint o elw?

c Cyfrifwch gost gymedrig un ddiod.

Mae Bryn yn credu y bydd e'n gwerthu mwy na 250 o ddiodydd ddydd Gwener.

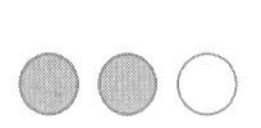

ch Darganfyddwch amcangyfrif ar gyfer y swm lleiaf o arian mae e'n disgwyl ei ennill ar ddiodydd ddydd Gwener.

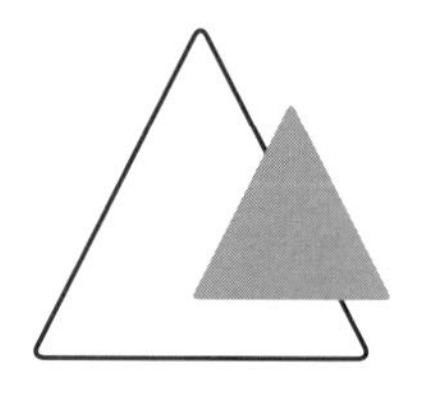

Ystadegaeth a Thebygolrwydd Llinyn 2 Diagramau ystadegol Uned 5 Diagramau gwasgariad

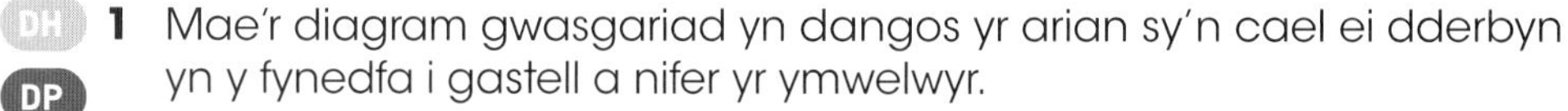

DH DP **1** Mae'r diagram gwasgariad yn dangos yr arian sy'n cael ei dderbyn yn y fynedfa i gastell a nifer yr ymwelwyr.

a Faint o arian gafodd ei dderbyn ar y diwrnod pan ddaeth y nifer mwyaf o ymwelwyr, y diwrnod prysuraf yn y castell?

b Mae Carys yn dweud mai dydd Sul oedd y diwrnod prysuraf yn y castell. Ydy Carys yn gywir? Rhaid i chi roi rheswm dros eich ateb.

c Defnyddiwch y syniad o linell ffit orau, neu fel arall, i amcangyfrif yr arian fydd yn cael ei dderbyn pan fydd 95 o ymwelwyr â'r castell.

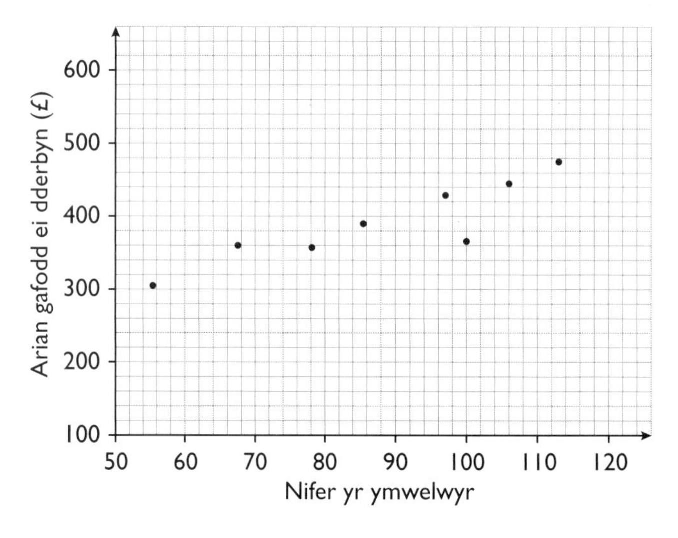

2 Mae Gwilym yn rhedeg y siop goffi mewn siop adrannol fawr. Mae ef wedi lluniadu diagram gwasgariad i ddangos yr arian sy'n cael ei dderbyn a nifer y cwsmeriaid.

a Disgrifiwch y cydberthyniad.

b Un diwrnod derbyniodd y siop goffi £430. Sawl cwsmer oedd yno y diwrnod hwnnw?

c Faint o arian, ar gyfartaledd, wariodd pob cwsmer yn y siop goffi? Dangoswch eich gwaith cyfrifo.

ch Gan ystyried llinell ffit orau, neu fel arall, os yw'r siop goffi yn derbyn £450 mewn un diwrnod, tua faint o gwsmeriaid sydd yno?

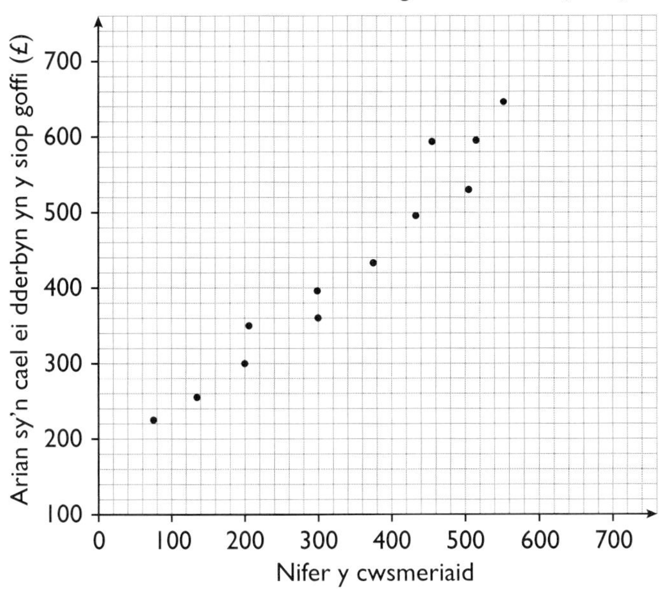

YS DA **3** Mae Gwen wedi mesur hyd a lled rhai dail o goeden yn ei gardd. Mae hi'n lluniadu diagram gwasgariad i ddangos y canlyniadau.

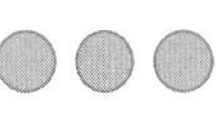

a Beth yw hyd y ddeilen fwyaf llydan fesurodd Gwen?

b Beth yw lled y ddeilen hiraf fesurodd Gwen?

c Disgrifiwch y cydberthyniad sydd i'w weld yn y diagram gwasgariad.

ch A fyddai'n rhesymol disgwyl bod hyd deilen arall mae Gwen yn ei mesur yn ddwbl ei lled? Rhowch reswm dros eich ateb.

d Gan ystyried llinell ffit orau, neu fel arall, beth o bosibl fyddai hyd deilen sydd â'i lled yn 5 cm ac yn dod o'r un goeden?

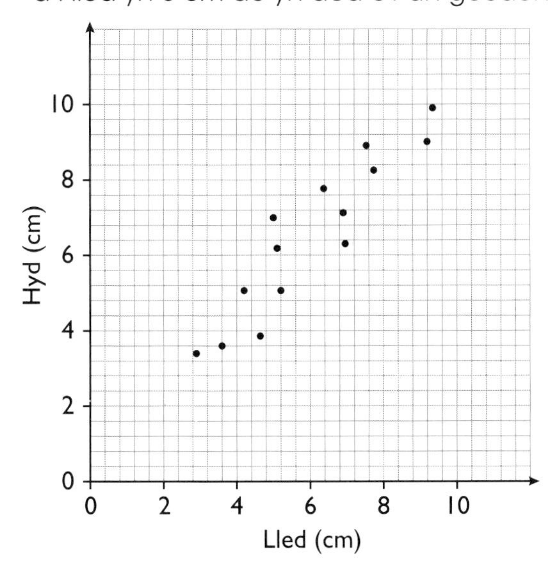

4 Mae Rhys wedi mesur hyd a lled rhai dail o'i ardd. Mae e'n lluniadu diagram gwasgariad i ddangos y canlyniadau.

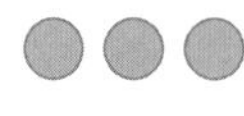

a Does dim cydberthyniad yn y canlyniadau. Pam mae hyn yn wir o bosibl?

b Beth yw lled y ddeilen fyrraf gafodd ei mesur?

c Mae hyd un ddeilen yn ddwbl ei lled. Ysgrifennwch hyd a lled y ddeilen hon.

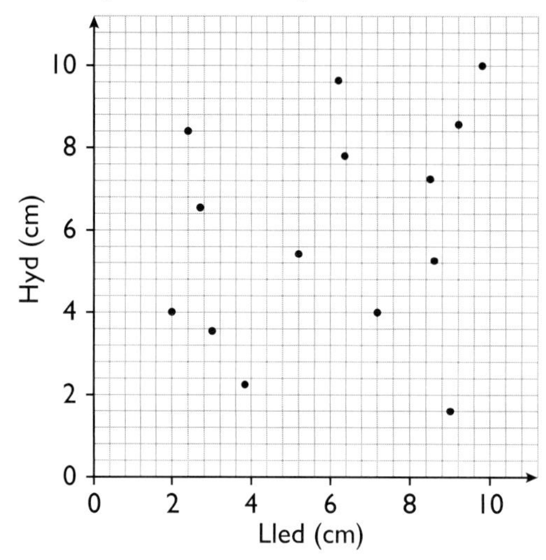

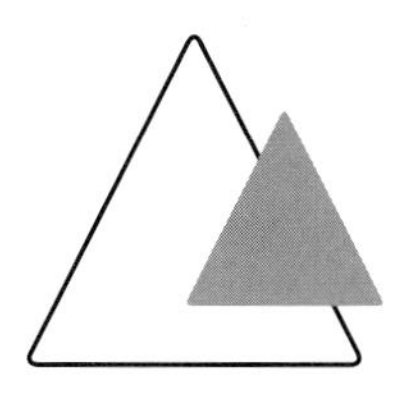

Ystadegaeth a Thebygolrwydd Llinyn 2 Diagramau ystadegol Uned 6 Defnyddio llinellau ffit orau

YS YMARFER SGILIAU  DP DATRYS PROBLEMAU  DA DULL ARHOLIAD

 DP

1 Mae Dewi wedi lluniadu diagram gwasgariad i ddangos prisiau rhentu fflatiau un ystafell wely, a'r pellter rhwng y fflatiau a chanol y ddinas.

a Mae un o'r fflatiau'n allwerth. Pa mor bell yw'r fflat hwn o ganol y ddinas a beth yw ei bris rhentu?

b Ar gopi o'r diagram gwasgariad hwn, tynnwch linell ffit orau. A oes unrhyw bwyntiau rydych chi wedi'u hanwybyddu wrth luniadu eich llinell ffit orau? *(Neu byddech chi'n gallu rhoi papur dargopïo dros y diagram gwasgariad yn y llyfr, ac yna dangos eich llinell ffit orau i'ch athro.)*

c Beth allech chi ddisgwyl i'r pris rhentu fod ar gyfer fflat un ystafell wely sydd 1.75 km o ganol y ddinas?

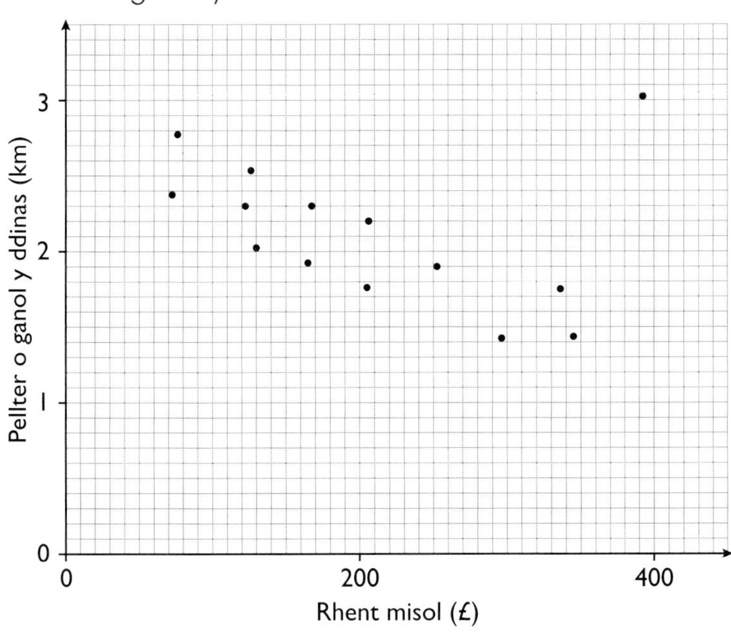

2 Mae Rhian yn gweithio mewn amgueddfa. Mae mynediad am ddim i'r amgueddfa, ond maen nhw'n gofyn i bob ymwelydd roi rhodd tuag at gynnal a chadw'r amgueddfa. Mae Rhian wedi cofnodi nifer yr ymwelwyr a chyfanswm y rhoddion gafodd eu rhoi bob dydd am wythnos.

Nifer yr ymwelwyr	55	25	30	42	34	46	26
Cyfanswm y rhoddion (£)	100	45	60	80	66	90	50

a Defnyddiwch echelinau, fel y rhai sydd i'w gweld isod, i luniadu diagram gwasgariad ar gyfer y canlyniadau hyn.

b A yw'n bosibl dweud faint o ymwelwyr ddaeth ddydd Mawrth? Rhowch reswm dros eich ateb.

c Tynnwch linell ffit orau, â'r llygad, ar eich diagram gwasgariad.

ch Defnyddiwch eich llinell ffit orau i amcangyfrif cyfanswm y rhoddion allai gael eu rhoi pe bai 50 o ymwelwyr â'r amgueddfa.

d Mae Rhian yn dweud bod y canlyniadau'n dangos y bydd yr amgueddfa bob tro'n derbyn rhodd o tua £2 yr ymwelydd. A yw hyn yn hollol gywir? Rhaid i chi roi rheswm dros eich ateb.

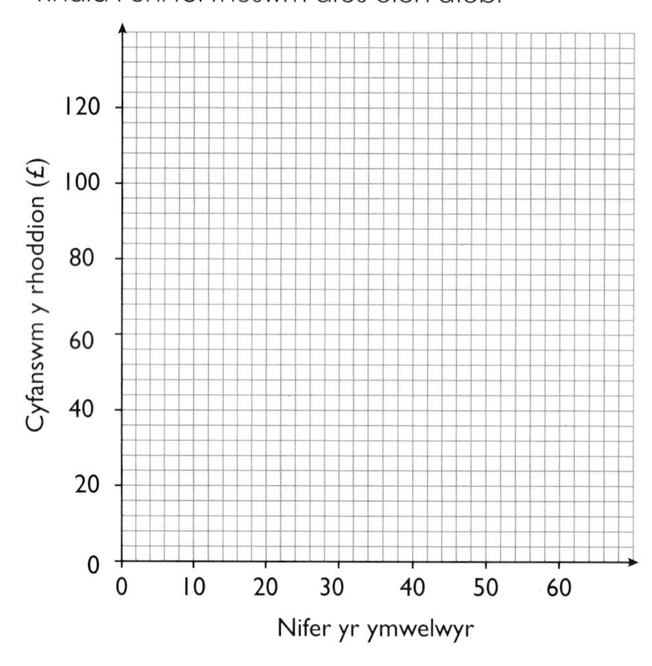

3 Mae Tomos wedi bod yn mesur a chofnodi hyd a màs math penodol o fwydyn. Dyma ei dabl canlyniadau. 

Hyd (mm)	10	12	22	6	11	16	17	9	8	14
Màs (g)	2.0	2.5	4.3	1.4	2.4	3.4	3.2	1.8	1.6	3.0

a Defnyddiwch bapur graff i luniadu a labelu echelinau addas i gynrychioli'r data hyn mewn diagram gwasgariad.

b Pa fath o gydberthyniad mae eich diagram gwasgariad yn ei ddangos?

c Cyfrifwch hyd cymedrig a màs cymedrig y 10 mwydyn hyn.

ch Tynnwch linell ffit orau ar eich diagram gwasgariad.

d Defnyddiwch eich llinell ffit orau i amcangyfrif màs mwydyn o'r math hwn sydd â'i hyd yn 2 cm.

dd Defnyddiwch eich llinell ffit orau i amcangyfrif màs pob un o'r math hwn o fwydyn sydd â'i hyd yn 3 cm.

4 Mae'r diagram gwasgariad yn dangos yr arian sy'n cael ei dderbyn yn y fynedfa i gastell a nifer yr ymwelwyr. 

a Cyfrifwch y swm cymedrig o arian a'r nifer cymedrig o ymwelwyr.

b Ar gopi o'r diagram gwasgariad hwn, neu gan ddefnyddio papur dargopïo, tynnwch linell ffit orau.

c Mae Lois yn dweud, 'Pe bai nifer yr ymwelwyr yn 300 un diwrnod, gallen ni ddisgwyl derbyn tua £1500.'

i Gwnewch amcangyfrif gwell ar gyfer yr arian fyddai'n cael ei dderbyn pe bai 300 o ymwelwyr â'r castell un diwrnod.

ii Pam gallai hyd yn oed eich amcangyfrif gwell fod yn afresymol?

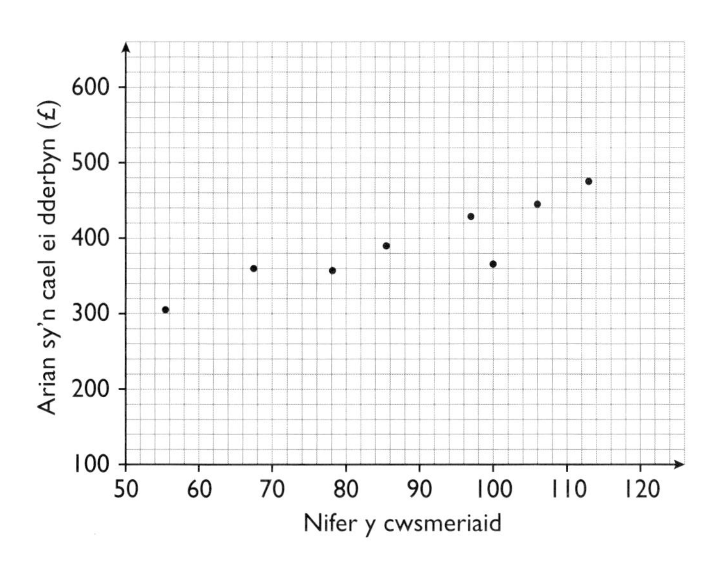

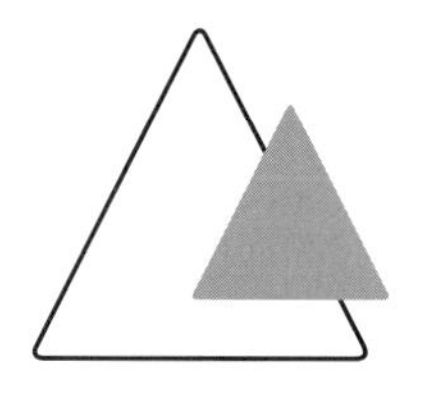

Ystadegaeth a Thebygolrwydd Llinyn 3 Casglu data Uned 2 Llunio holiaduron

YS YMARFER SGILIAU DH DATBLYGU HYDER DP DATRYS PROBLEMAU DA DULL ARHOLIAD

DH DP **1** Mae canolfan feddygol yn cynnal arolwg i annog cleifion i fwyta pum dogn o ffrwythau neu lysiau y dydd. Dyma ran o'r arolwg.

Ydych chi'n bwyta 5 dogn o ffrwythau neu lysiau?

Ydw ☐

Nac ydw ☐

Weithiau ☐

a Ysgrifennwch feirniadaeth o'r cwestiwn hwn.

b Ysgrifennwch feirniadaeth o'r dewisiadau ateb.

c Ysgrifennwch gwestiwn addas allai gael ei ofyn a rhowch flychau ateb priodol.

DH DP **2** Ysgrifennwch gwestiwn, gyda dewis o flychau ateb, i ddarganfod hoff lenwad pobl mewn brechdan.

DH DP **3** Mae Lois yn cynnal arolwg i ddarganfod barn pobl leol am bolisi'r cyngor ynglŷn ag ailgylchu gwastraff gardd. Mae hi'n holi pobl yng nghanol y dref ganol dydd un dydd Mawrth. Dyma'r ddau gwestiwn cyntaf.

1	Faint o wastraff gardd sydd gennych chi bob wythnos?
2	Ydych chi'n cytuno y dylai'r cyngor godi tâl am gasglu gwastraff gardd?

Gwnewch 3 beirniadaeth o arolwg Lois.

YS DH **4** 'Mae llai o lenwadau dannedd gan bobl sy'n brwsio eu dannedd 3 gwaith y dydd.'

a Ydych chi'n credu bod y rhagdybiaeth hon yn un resymol? Rhowch reswm dros eich ateb.

b Sut byddech chi'n rhoi prawf ar y rhagdybiaeth hon?

5 Roedd Bryn eisiau darganfod a oedd pobl yn cefnogi'r tîm rygbi lleol neu beidio. Cynhaliodd ef arolwg y tu allan i'r clwb rygbi lleol cyn gêm. Dyma ei holiadur.

1	Beth yw eich oedran chi? 16 i 20 ☐ 20 i 30 ☐ 30 i 40 ☐ Dros 40 ☐
2	Pa mor aml rydych chi'n dod i gemau rygbi? Byth ☐ Weithiau ☐ Yn aml ☐
3	Ydych chi'n cefnogi'r clwb rygbi hwn? Ydw ☐ Nac ydw ☐

a Eglurwch pam gallai arolwg Bryn fod â thuedd.

b Ysgrifennwch un feirniadaeth yr un o bob cwestiwn yn yr holiadur.

c Ailysgrifennwch yr holiadur i'w wella, gan gadw eich holl feirniadaethau mewn golwg.

6 'Mae pobl yn cael mwy o ddamweiniau wrth gerdded yn y stryd os ydyn nhw'n anfon negeseuon testun wrth gerdded na phe bydden nhw'n peidio ag anfon negeseuon testun wrth gerdded.'

a Ydych chi'n credu bod y rhagdybiacth hon yn un resymol? Rhowch reswm dros eich ateb.

b Sut byddech chi'n rhoi prawf ar y rhagdybiaeth hon? Ysgrifennwch unrhyw gwestiynau gallech chi eu gofyn.

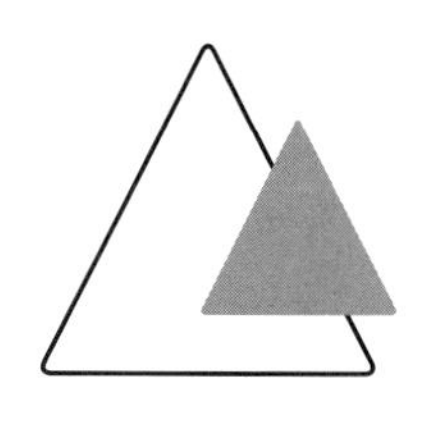

Ystadegaeth a Thebygolrwydd Llinyn 4 Tebygolrwydd Uned 2 Tebygolrwydd digwyddiad sengl

DH DATBLYGU HYDER

DULL ARHOLIAD

YS **1** Dyma rai cardiau. Mae siâp wedi'i luniadu ar bob cerdyn. Mae Stephanie yn mynd i ddewis un o'r cardiau ar hap.

a Pa siâp sydd â'r tebygolrwydd mwyaf o gael ei ddewis, saeth neu galon? Rhowch reswm dros eich ateb.

b Ysgrifennwch y tebygolrwydd mai saeth fydd y siâp.

YS **2** Mae Jasmine yn rholio dis sydd â thuedd. Y tebygolrwydd y bydd y dis yn glanio ar 6 yw 0.4.

Cyfrifwch y tebygolrwydd na fydd y dis yn glanio ar 6.

YS **3** Mae 3 chownter lliw coch, 2 gownter lliw gwyrdd a 6 chownter lliw melyn mewn bag. Mae Yuan yn mynd i dynnu cownter, ar hap, o'r bag.

a Beth yw'r tebygolrwydd y bydd y cownter yn

i lliw coch

ii lliw gwyrdd

iii lliw melyn

iv lliw gwyn?

b Beth yw'r tebygolrwydd **na** fydd y cownter yn

i lliw coch

ii lliw gwyrdd

iii lliw melyn

iv lliw gwyn?

DH **4** Tebygolrwydd digwyddiad A yw $\frac{1}{3}$. Tebygolrwydd digwyddiad B yw 0.35. 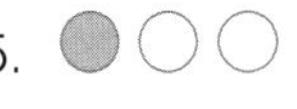

Tebygolrwydd digwyddiad C yw 30%.

Ysgrifennwch y digwyddiadau hyn yn nhrefn eu tebygolrwydd. Dechreuwch gyda'r digwyddiad lleiaf tebygol.

DH **5** Mae'r siart llinell fertigol yn dangos blas a nifer y melysion mewn blwch. Mae Maja yn mynd i dynnu un o'r melysion, ar hap, o'r blwch. 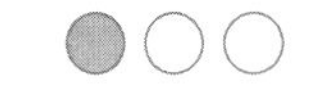

a Pa flas sydd â'r tebygolrwydd lleiaf o gael ei dynnu?

b Ysgrifennwch y tebygolrwydd y bydd y blas yn flas

i mefus

ii leim.

c Ysgrifennwch y tebygolrwydd na fydd y blas yn flas

i oren

ii lemon.

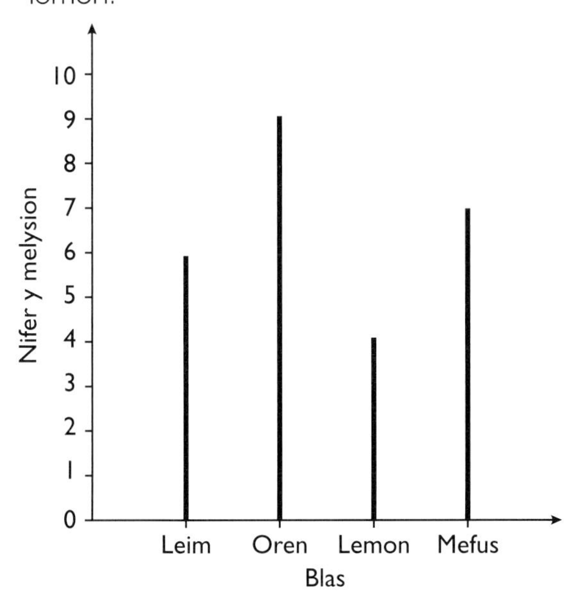

DH **6** Mae'r siart cylch yn rhoi gwybodaeth am oedrannau'r bobl sy'n gwylio ffilm mewn sinema.

Mae un o'r bobl hyn yn cael ei ddewis ar hap. Darganfyddwch y tebygolrwydd mai oedran y person fydd

a 51 oed a mwy

b 50 oed neu lai

c 31–50 oed

ch 11–30 oed.

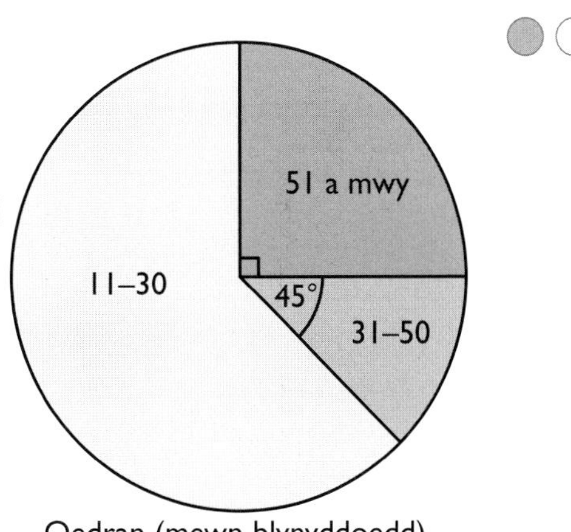

Oedran (mewn blynyddoedd)

DP **7** Mae Nesta yn dylunio troellwr teg i'w ddefnyddio yn ei gwersi tebygolrwydd. Mae hi'n mynd i droi'r troellwr unwaith.

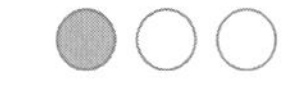

Copïwch a chwblhewch y troellwr ar gyfer pob rhan o'r cwestiwn. Defnyddiwch y llythrennau A, B ac C yn unig.

Ysgrifennwch 4 llythyren ar y troellwr fel bod y canlynol yn wir:

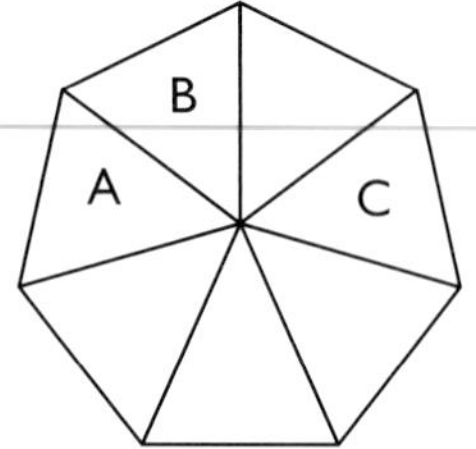

a mae'n fwy tebygol o gael A na B

b mae'r un mor debygol o gael A neu C

c mae'r tebygolrwydd o gael B ddwywaith cymaint â'r tebygolrwydd o gael A.

DP DA **8** Mae blwch A yn cynnwys 3 bag o greision blas halen a 4 bag o greision caws a winwns/nionod. Mae blwch B yn cynnwys 4 bag o greision blas halen a 7 bag o greision caws a winwns/nionod.

Mae Tiny yn mynd i dynnu bag o greision, ar hap, o un o'r blychau. Mae hi eisiau cael y siawns orau o dynnu bag o greision blas halen.

Pa flwch dylai hi ei ddefnyddio? Eglurwch pam.

DP DA **9** Mae Silvia yn cynllunio arbrawf tebygolrwydd. Mae hi'n rhoi 15 cownter lliw gwyrdd a 35 cownter lliw glas mewn bag.

a Beth yw tebygolrwydd tynnu cownter lliw gwyrdd ar hap o'r bag?

Mae Silvia yn rhoi rhagor o gownteri lliw glas yn y bag. Nawr mae tebygolrwydd tynnu cownter lliw gwyrdd ar hap o'r bag yn 0.25.

b Faint o gownteri lliw glas gwnaeth hi eu rhoi yn y bag?

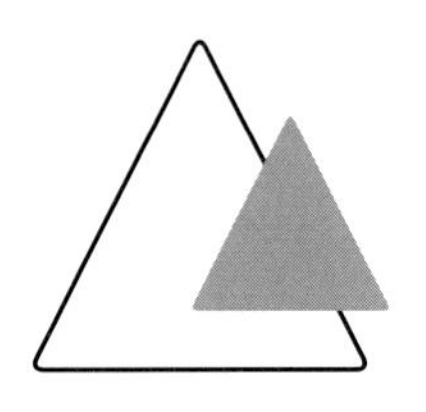

Ystadegaeth a Thebygolrwydd Llinyn 4 Tebygolrwydd Uned 3 Digwyddiadau cyfunol

YS – YMARFER SGILIAU   DH – DATBLYGU HYDER   DP – DATRYS PROBLEMAU   DA – DULL ARHOLIAD

YS **1** Mae Nathalie yn taflu tri darn arian teg. Dyma'r canlyniadau posibl.

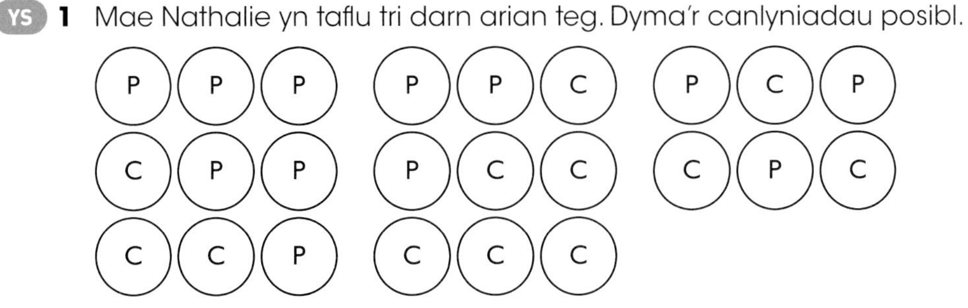

Ysgrifennwch y tebygolrwydd y bydd hi'n cael

a 3 phen

b un pen a dwy gynffon

c dau ben ac un gynffon

ch o leiaf dau ben.

YS **2** Mae Simon yn mynd i dŷ bwyta. Mae tri math o gawl a thri math o fara iddo ddewis.

Cawl	**Bara**
Tomato	Brown
Llysiau	Gwyn
Pys	Brown garw

Mae Simon yn mynd i ddewis un math o gawl ac un math o fara.

a Rhestrwch bob cyfuniad posibl mae Simon yn gallu ei ddewis.

Mae Simon yn dewis, ar hap, un math o fara.

b Ysgrifennwch y tebygolrwydd y bydd e'n dewis bara brown garw.

YS **3** Dyma rai llythrennau a rhai rhifau ar gardiau.

A	B	C		2	3	4	5

Mae Safta yn mynd i ddewis, ar hap, un cerdyn sydd â llythyren arno ac un cerdyn sydd â rhif arno.

a Un cyfuniad posibl yw (A, 2). Ysgrifennwch bob cyfuniad posibl arall.

b Ysgrifennwch y tebygolrwydd y bydd e'n dewis

i (A, 2)

ii B ac unrhyw rif

iii C a rhif cysefin

iv A neu C ac eilrif.

DH **4** Mae Wilhelm yn troi troellwr teg sydd â 5 ochr a throellwr teg sydd â 4 ochr.

	1	**2**	**3**	**4**
1	2	3	4	5
2	3	4		
3	4			
4				
5				

a Copïwch a chwblhewch y tabl i ddangos pob cyfanswm posibl.

b Ysgrifennwch y tebygolrwydd y bydd y cyfanswm yn

i 9 yn union

ii 7 yn union

iii odrif

iv 4 neu lai.

DH **5** Mae 50 myfyriwr mewn coleg. Mae pob myfyriwr yn gallu astudio Pwyleg, Cymraeg a Tsieinëeg.

Mae'r diagram Venn yn rhoi gwybodaeth am nifer y myfyrwyr sy'n astudio pob un o'r ieithoedd hyn, dwy ohonynt, un ohonynt, neu ddim un ohonynt.

Mae un o'r 50 myfyriwr yn cael ei ddewis ar hap.

a Beth yw'r tebygolrwydd bod y myfyriwr hwn yn astudio

i pob un o'r tair iaith

ii Pwyleg yn unig

iii Tsieinëeg a Chymraeg

iv Tsieinëeg?

Mae un o'r 17 myfyriwr sy'n astudio Cymraeg yn cael ei ddewis ar hap.

b Beth yw'r tebygolrwydd bod y myfyriwr hwn hefyd yn astudio

i Tsieinëeg

ii Tsieinëeg a Phwyleg?

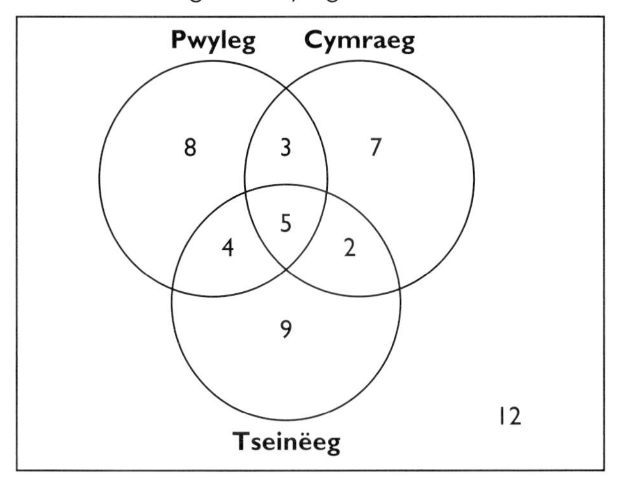

DP DA **6** Gofynnodd Hoeg i 59 person mewn clwb ieuenctid a ydyn nhw'n chwarae tennis neu sboncen. Dywedodd 35 person eu bod yn chwarae tennis. Dywedodd 28 person eu bod yn chwarae sboncen. Dywedodd 17 person eu bod yn chwarae tennis a sboncen hefyd.

a Copïwch a chwblhewch y diagram Venn.

Mae un o'r bobl hyn yn cael ei ddewis ar hap.

b Darganfyddwch y tebygolrwydd bod y person hwn

i yn chwarae sboncen

ii yn chwarae tennis, ond nid sboncen

iii yn chwarae tennis neu sboncen, ond nid y ddau

iv ddim yn chwarae tennis na sboncen.

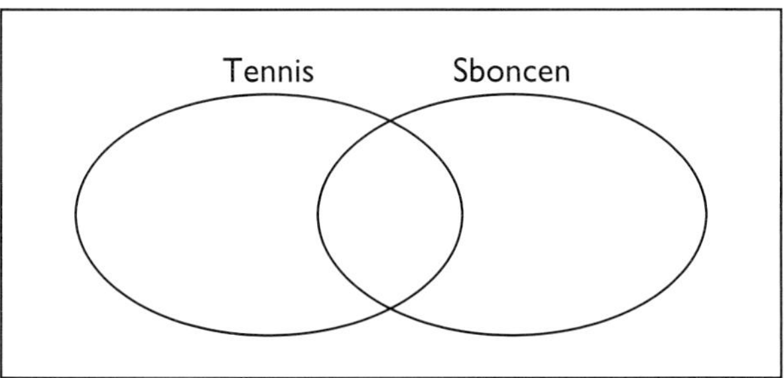

DP **7** Gofynnodd Oparbi i rai plant pa un o dair ffilm maen nhw'n ei hoffi orau. Mae'r tabl anghyflawn yn dangos rhywfaint o wybodaeth am ei chanlyniadau.

	Minions	*Inside out*	*Wall·E*	Cyfanswm
Bechgyn	14	A	8	B
Merched	C	5	D	21
Cyfanswm	20	E	F	47

a Darganfyddwch y gwerthoedd coll A–F.

Mae un o'r plant hyn yn cael ei ddewis ar hap.

b Beth yw'r tebygolrwydd bod y plentyn

i yn fachgen

ii yn ferch sy'n hoffi *Minions* orau?

Mae un o'r merched yn cael ei dewis ar hap.

c Beth yw'r tebygolrwydd bod y ferch hon yn hoffi *Wall·E* orau?

DP DA **8** Gofynnodd rhywun i bob un o 130 o fyfyrwyr ddewis gweithgaredd ar gyfer trip ysgol. Mae'r tabl yn rhoi gwybodaeth am y myfyrwyr hyn a'u dewis o weithgaredd.

	Sinema	Theatr	Cyngerdd
Bechgyn	28	17	14
Merched	32	23	16

Mae un o'r myfyrwyr yn cael ei ddewis ar hap.

a Darganfyddwch y tebygolrwydd bod y myfyriwr

i yn fachgen

ii yn ferch ddewisodd gyngerdd

iii yn fachgen oedd heb ddewis sinema.

Mae un o'r bechgyn yn cael ei ddewis ar hap.

b Darganfyddwch y tebygolrwydd bod y myfyriwr hwn

i wedi dewis theatr

ii heb ddewis cyngerdd.

DP **9** Dyma rai cardiau. Mae llythyren ar bob cerdyn. Mae Nerys yn dewis dau o'r cardiau ar hap. Does dim ots am y drefn.

a Ysgrifennwch bob cyfuniad posibl.

b Beth yw'r tebygolrwydd bod S ar un o'r ddau gerdyn hyn?

Mae Jim yn dewis tri o'r cardiau ar hap. Does dim ots am y drefn.

C A R D S

c Ysgrifennwch bob cyfuniad posibl.

ch Beth yw'r tebygolrwydd bod S ar un o'r tri cherdyn hyn?

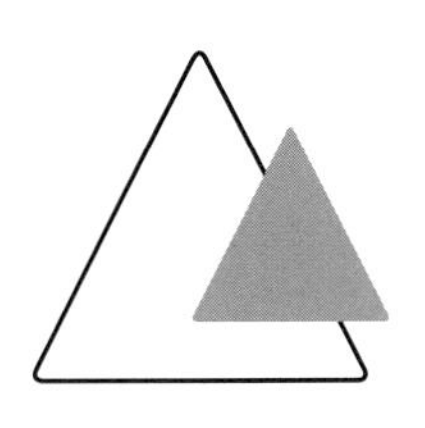

Ystadegaeth a Thebygolrwydd Llinyn 4 Tebygolrwydd Uned 4 Amcangyfrif tebygolrwydd

YS – YMARFER SGILIAU DH – DATBLYGU HYDER DP – DATRYS PROBLEMAU DA – DULL ARHOLIAD

DH DP DA **1** Mae'r rhifau 1 i 8 ar ddis sydd ag wyth ochr. Mae'r dis yn cael ei daflu 20 gwaith ac mae'r rhif mae'n glanio arno yn cael ei gofnodi.

1 3 4 5 6 1 2 2 7 3
2 5 7 8 4 5 4 2 1 6

a Copïwch a chwblhewch y tabl amlder. Ysgrifennwch yr amlderau cymharol fel degolion.

b Darganfyddwch y tebygolrwydd y bydd y dis yn glanio ar eilrif sy'n llai na 5.

c Darganfyddwch y tebygolrwydd y bydd y dis yn glanio ar rif sy'n fwy na 7.

Glanio ar	1	2	3	4	5	6	7	8
Sawl tro								
Amlder cymharol								

YS DH DP DA **2** Mae siop yn gwerthu 4 math gwahanol o laeth. Dyma'r gwerthiant am yr wythnos.

Math o laeth	Braster llawn	Hanner sgim	Sgim	Soia
Gwerthiant (litrau)	24	26	40	10

a Amcangyfrifwch y tebygolrwydd y bydd y litr nesaf o laeth fydd yn cael ei werthu yn hanner sgim.

b Mae archfarchnad newydd yn yr ardal yn amcangyfrif y bydd yn gwerthu 450 litr o laeth bob dydd. Sawl litr o bob math o laeth fyddech chi'n awgrymu y dylai'r archfarchnad newydd ei stocio bob dydd?

YS DH DP DA **3** Mae ysgol yn cynnal arolwg i weld a yw myfyrwyr yn credu y dylai'r ffreutur fod ar agor yn ystod amser chwarae i werthu brecwast. Dyma'r canlyniadau.

Penderfyniad	Amlder
Ie	340
Na	160
Dim barn	100

a Defnyddiwch y data i amcangyfrif y tebygolrwydd y bydd myfyriwr sy'n cael ei ddewis ar hap yn ateb:

i ie

ii na

iii dim barn.

b Mae rheolwyr yr ysgol yn barod wedi penderfynu peidio ag agor y ffreutur amser chwarae i werthu brecwast os bydd llai na 40% o'r disgyblion wedi ateb 'ie'. A fydd rheolwyr yr ysgol yn penderfynu agor y ffreutur i werthu brecwast neu beidio? Rhaid i chi gefnogi eich ateb gyda gwaith cyfrifo addas.

YS DH DP DA

4 Mae'r rhifau 2, 4, 6, 8 a 10 ar droellwr sydd â 5 ochr. Mae'r tabl yn dangos y tebygolrwydd y bydd yn glanio ar rai o'r rhifau.

Rhif	2	4	6	8	10
Tebygolrwydd	0.21	0.25	0.18		

a Mae'r tebygolrwydd y bydd y troellwr yn glanio ar 10 yn ddwbl y tebygolrwydd y bydd yn glanio ar 8. Cwblhewch y tabl.

b Mae Alwena yn troi'r troellwr 250 o weithiau.

i Sawl gwaith byddech chi'n disgwyl i Alwena gael 6?

ii Sawl gwaith byddech chi'n disgwyl i Alwena **beidio** â chael 6?

YS DH DP DA

5 Mae Ms Evans yn mesur taldra'r merched a'r bechgyn yn ei grŵp tiwtor. Mae hi'n cofnodi ei chanlyniadau mewn tabl.

Taldra (cm)	Llai na 160 cm	160 cm	Mwy na 160 cm
Nifer y merched	6	2	9
Nifer y bechgyn	0	3	10

a Mae disgybl o grŵp tiwtor Ms Evans yn cael ei ddewis ar hap. Cyfrifwch y tebygolrwydd bod y disgybl sy'n cael ei ddewis

i yn fachgen

ii yn ddisgybl sydd â thaldra o fwy na 160 cm

iii yn ferch sydd â thaldra o lai na 160 cm.

b Rydych chi'n gwybod bod disgybl sy'n cael ei ddewis o grŵp tiwtor Ms Evans â thaldra o fwy nag 1.6 metr. Beth yw'r tebygolrwydd fod y disgybl yn ferch?